D0493619

ro
ro
ro

rororo

Die mobile Kommunikation ist ein weites Feld und vor allem unterhaltsamer, als man gemeinhin denken mag. Nach den Bestsellern «Du hast mich auf dem Balkon vergessen», «Ist meine Hose noch bei euch?» und «Ich guck mal, ob du in der Küche liegst» präsentieren Anna Koch und Axel Lilienblum bereits zum vierten Mal eine Auswahl der besten und lustigsten nächtlichen Handydialoge des zurückliegenden Jahres.

Ihre Website www.smsvongesternnacht.de betreiben sie seit 2009 und veröffentlichen dort täglich die witzigsten und schrägsten Einsendungen ihrer User. Darunter finden sich neben kryptischen Botschaften aus der Clubtoilette auch herzerweichende Liebesschwüre und andere aberwitzige Zeugnisse des mobilen Zeitalters, die wohl manches Mal besser nie verschickt worden wären.

Anna Koch und Axel Lilienblum wohnen in Berlin.

ANNA KOCH /
AXEL LILIENBLUM (HG.)

ICH BIN DA, ABER DIE HAUSTÜR NICHT

Das Allerneueste aus

SMS VON GESTERN NACHT.DE

Rowohlt Taschenbuch Verlag

Anmerkung der Herausgeber: Dort, wo es nicht zum Witz oder zu der Tonart der SMS gehörte, wurden die SMS der Lesefreundlichkeit halber der deutschen Rechtschreibung und Interpunktion angepasst. Eigenheiten des Mediums wie Abkürzungen, Smileys usw. wurden so weit wie möglich beibehalten.

Dank: Wir danken unseren Moderatoren Elena Jansen und Paul Vincent Rohloff für die Vorauswahl der hier erschienenen Beiträge auf www.smsvongesternnacht.de.

Originalausgabe
Veröffentlicht im Rowohlt Taschenbuch Verlag,
Reinbek bei Hamburg, Dezember 2013

Umschlaggestaltung ZERO Werbeagentur, München
Illustrationen im Innenteil Esther Masemann, Berlin
Satz Meta PostScript, InDesign,
bei KCS GmbH, Buchholz bei Hamburg
Druck und Bindung GGP Media GmbH, Pössneck
Printed in Germany
ISBN 978 3 499 63051 4

Inhalt

Vorwort

«Wo kommen die SMS her und woher wollt ihr wissen, dass sie echt sind?» Die Theorien dazu reichen von der Vermutung, dass wir den Äther nach missglückten Kommunikationsversuchen durchkämmen, bis hin zu der Idee, wir würden nachts durch die Clubs ziehen und mit Zettel und Stift bewaffnet auf fremde Handydisplays linsen.

Die Wahrheit ist natürlich weit profaner und sehr viel weniger abenteuerlich – wir bekommen sie von den Usern unserer Website zugeschickt. Ob die alle echt sind, können wir nicht wissen, zumindest nicht mit Echtheitszertifikat, Stempel und Garantiesiegel. Wir entscheiden mit unserem (un)gesunden Menschenverstand, was wirklich passiert sein könnte oder vielleicht erfunden wurde. Wir alle wissen, dass das eine vertrackte Sache ist: Das Leben kann ganz schön verrückt sein.

Gute Unterhaltung!

Anna Koch & Axel Lilienblum

19:00 – 21:14

Gib mir 3 Minuten, ich bin in einer Viertelstunde da

19:00

Ich glaube, ich kann so langsam mal versuchen zu frühstücken ...

19:05

Hilfe, hilfe, mein Date geht mir jetzt schon auf den Keks!

19:08

Wie lange musst du noch?

19:11

Wir haben uns um 19:00 Uhr getroffen.

19:06

Ihr müsst alle mal eure Angst vor Schamhaaren überwinden!

19:07

Der Busfahrer wurde mit einem Döner attackiert und die Weiterfahrt verzögert sich, da die Polizei noch nicht da ist. Hää???

19:08

Hey Schatz, danke fürs Aufräumen. Was ist mit meinen Pflanzen passiert?

19:12

Das waren Pflanzen???

19:08

Es sollte öfter EM sein ... diese Farben für Deutschlandflaggen auf den Backen sind die perfekten Pickelabdeckstifte!

19:09

Ich hab DIE Idee! Geh einfach mit ihr ins Kino «Der Schlussmacher». Und bei der Szene, die deines Ermessens am besten passt, gehst du einfach und lässt sie da sitzen!

19:14

... oder ich bestell sie ins Kino in genau diesen Film und komme dann gar nicht erst!

19:14

Teuflischer Plan! :)

19:11

Ich wurde grad von den Nachbarn beim Wühlen in der Mülltonne erwischt ... peinlich!

19:12

Haha ... was hast du denn diesmal schon wieder gesucht?!

19:14

Den Haustürschlüssel.

19:11

Ich habe grade einen supersüßen Typen im Bus gesehen!

19:11

Ja und?

19:12

Als ich ausgestiegen bin und Blickkontakt halten wollte, bin ich mit dem Kopf schön gegen den Fahrplankasten gelaufen.

19:12

Mein verantwortungsbewusster Umgang mit Alkohol beschränkt sich im Wesentlichen darauf, nix zu verschütten :)

19:19

Dann wird erstmal ein Jahresvorrat an Kondomen mitgenommen ... Also keins :P

19:20

Hat der T. heute Geburtstag?

19:22

Keine Ahnung, der hat keinen Facebook-Account.

19:20

Na, wat machste heute Abend so? Gehst du auf 'ne Halloween-Party?

19:24

Hä, warum Halloween? Ist doch erst am 31. 10., oder?

19:28

Scheiße, echt? Bei mir waren grade verkleidete Kinder, die meine letzten Süßigkeiten abgestaubt haben! WER WAREN DIE?!

19:23

Mama, kannst du mich bei der Polizei abholen? Und ich will ein neues Handy haben :(

19:37

Was ist los? Wieso Polizei, was hast du angestellt? Ein neues Handy kannst du dir abschminken, Freundchen! Was ist bitte passiert? Natürlich hol ich dich ab, wo denn?

19:40

Polizei am Steintor. Und ich hab gar nix gemacht, ich bin überfallen worden! Da war so ein Mädel, die hat mir ’nen Kuss gegeben und mich in so eine Ecke geführt, da waren drei Typen und haben mich ausgeraubt. Jacke, Geld, alles weg. Dann hat das Mädel das Handy angeguckt und nur gelacht und es mir zurückgeworfen.

19:25

Nur so nebenbei, warum schreibst du bei den SMS immer ein Arsch-mit-Hütchen-Symbol dazu?

19:31

??? Was für’n Symbol?

19:42

<3

19:26

Er ruft an, er ruft an! Jetzt kann ich ihn ignorieren! :D

19:33

Wie heißt noch mal die Farbe? Fisch?

19:34

Lachs …?

20:34

Lachs!

19:33

Ich hab so Rückenschmerzen vom Schminken :(

19:35

Vielleicht solltest du einfach auf die 10 kg Schminke verzichten, dann wird das auch besser ;)

19:34

Was machst du heute?

19:35

Geburtstag feiern!?

19:35

Fuck, stimmt!!!

19:34

Spanne gerade mit dem Fernglas aus der dunklen Küche durch die kahlen Bäume. Hihi!

19:40

Waaas??? Seit wann hast du'n Fernglas? Das ist bestimmt verboten, auf jeden Fall ist das voll pervers!

19:47

Ach komm, das sagste doch nur, weil du gerade nackt im Wohnzimmer warst und panisch die Vorhänge zugezogen hast! (Ja! Ich kann dich von hier aus sehen.)

19:35

Wenn du irgendwann nach Hause kommst und dich wunderst, warum dein Teppich aussieht wie ein Kressefeld und warum all deine Sachen, also Tisch, Stuhl, Teller, Glas, Bettdecke etc. festgeklebt sind, dann weißt du, dass du mit deinen doofen Witzen zu weit gegangen bist.

19:36

Hi Dornröschen, wie geht es dir? Brummt dir der Kopf? Ich hoffe, du bist gut nach Hause gekommen? Viele Grüße.

19:45

Ähm ... wer bist du? :D

20:01

Ich hab dich heut früh schnarchend neben dem Geldautomaten gefunden, und du hast unsere Fische im Büroaquarium angepöbelt :D

19:37

Geraten? Gewusst? Gestalkt?! :O

19:39

O.o Gehirn!?

19:37

Anrufbeantworter ... «Hinterlassen Sie nach dem Signalton eine kurze Rechtfertigung für die orthologische Bedingung des Seins» oder so. Alter ... was heißt das?!

19:39

1. Sie ist nicht da. 2. Die ist zu schlau für dich :P

19:38

Gib mir 3 Minuten, ich bin in einer Viertelstunde da.

19:43

Hab mir grad im Supermarkt von meinem Pfand ’nen Schwangerschaftstest und zwei Dosen Bier gekauft. Wie asozial ist das auf einer Skala von 1 bis 10?

19:43

Hey J., wie is denn der Dresscode heute Abend auf der Party?

20:01

Och, an sich ganz leger, kein Stress :)

09:17

Alter ... als ich gestern sagte «leger», meinte ich, du musst nix mit Kragen und Anzugsschuhen anziehen, nicht, dass du in Jogginghose und Spongebob-T-Shirt ankommst.

19:43

Brauch noch 10 min. Der Berg ist so steil, und wenn ich schwitze, war das Haareglätten für’n Arsch :*

19:43

Du willst immer skypen, wenn ich nackt bin. Riechst du das?

19:47

Beherrschen oder den Trieben nachgeben?

19:52

Wenn's um den Kerl geht: bis Samstag beherrschen! Wenn's um Chips & Co geht: verdammt noch mal nachgeben! Wenn's um Sport geht: beherrschen, sonst bekommst du noch Muskeln!

19:47

Und wie ist der Film?

19:50

Recht visuell. Ton ist auch mit dabei.

19:47

Scheiße ist, wenn der Bruder deines Freundes so gut aussieht und dich mit seinen großen Rehaugen anguckt und du nur denkst: «Bitte kleines Bambi, verlauf dich in mein Beet!»

19:47

Maus, ist dir eigentlich mal was aufgefallen? Ich schlaf mit P., er verliebt sich in mich ... Ich schlaf mit M., er verliebt sich in mich ... Ich schlaf mit T., er verliebt sich in mich. Die logische Schlussfolgerung ist: Ich habe eine Zaubermuschi!

19:48

Wo bleibst du??? Ich geb dir jetzt noch 10 min, wenn du bis dahin nicht vor meiner Tür stehst, poste ich dir auf deine Pinnwand, wie sehr ich dich liebe. SEHR lange und SEHR ausführlich! Das ist mein Ernst, jetzt beeil dich!

19:49

Ich hab das Unmögliche geschafft!

19:51

Du hast Mathe verstanden?!

19:55

Nein, ich hab unter der Dusche gegessen :D

19:50

Es gibt ja immer mehr diesen Do-it-yourself-Hype. Ich merke, ich bin voll der Typ dafür. Leider auch bei Orgasmen.

19:59

Laut Studie, sagen sie grad auf RTL, wenn man zu viel Alkohol trinkt, kann der Mann unfruchtbar werden.

20:03

Wenn man seinen Penis inklusive Hoden in die Tür hält und die Tür zuschlägt, kann man unfruchtbar werden. Selbe Aussage, anderes Beispiel.

20:00

Er hat mich angeschrieben. Und auch noch so was Liebes. Oh je, hol mich mal schnell da runter!

20:01

Er geht mit seiner Ex aufn Konzert.

20:02

Okay, sehr gut ... klappt sofort ...

20:04

A. kommt :O

20:06

Ich hab geilere Schuhe als sie!

20:10

Ich hab 'n geileres Gesicht als sie! :D

20:04

Um wie viel Uhr bist du geboren?

20:05

Glaub um 5:05 Uhr.

20:05

Ich um 9:30 Uhr ... ich bin ein Knoppers :-D

20:04

Ich lese gerade was über die Verarbeitung von Klärschlamm ... Ich vermisse dich so!

20:07

Alter, was los? Kommst du noch?

20:10

Ich wurde beim Joggen von einem Eichhörnchen oder so angegriffen, sitze in der Notaufnahme und warte auf meine Tetanus- und/oder Tollwutspritze. Dauert wohl noch länger hier.

20:08

Manchmal rasiere ich mir nur ein Bein, damit es sich nachts so anfühlt, als würde ein Mann neben mir liegen.

20:09

Heute war der erste produktive Tag im ganzen Semester! :)

20:12

Bei mir auch. Ich war an der Uni, einkaufen, hab geputzt, 2 Übungen abgegeben & war sogar noch im McFit.

20:15

Du Übermensch O.o Ich hab gemeint, dass ich aufgestanden bin und sogar in einer Vorlesung war ... du musst mir auch immer alles kaputt machen.

20:10

Was soll ich anziehen? Hawaiiröckchen und Erdnussschalen auf den Brüsten?

20:11

Erdnussschalen?! Was hast du für Brüste?!

20:11

Es wird Zeit, dass die Prüfungen rum sind ... Ich hab mir grade eingebildet, dass meine Bücher mit mir reden, dabei können die das ja gar nicht ...

20:12

... oder?

20:13

... ODER?!? O.o

20:12

Argh! Der Typ ist nicht leicht ins Bett zu bekommen. Der liegt neben mir und will echt erst noch einfach nur reden. Geh bitte mal ins Internet und guck, wer ein gewisser John Pohl Satre ist und ein gewisser Simon Debohra. Waren die schwul?

20:12

Ok, es ist amtlich, mit dem Typen wird das nix. Er ist dumm wie Brot – meinetwegen! – aber er bekommt noch nicht mal einen hoch!

20:39

Lass ihn über Nacht draußen liegen. Brot wird dann ja hart.

20:12

Meine Mum steht gerade vor unserem «leicht» schiefen und krummen Weihnachtsbaum und sagt: «In diesem Haus lieben wir jeden, auch mit seinen Schwächen!» – Willkommen in einem Pädagogenhaushalt :D

20:14

Scheiße, ich glaub, ich bin zum ersten Mal richtig verliebt. Ich hab grade zum ersten Mal bei der Selbstbefriedigung an meinen eigenen Freund gedacht …

20:15

Ich glaube mal, dass die SMS nicht an mich gehen sollte :D fühle mich aber geschmeichelt, Süße <3

20:15

Ich steh grad nichts ahnend am Bismarckplatz, fährt die Linie 5 ein, und es ertönt der Außenlautsprecher: «Werte Fahrgäste, bitte beachten Sie: Dieser Zug ist KEIN Adventskalender! Es dürfen alle Türchen zum Ein- und Aussteigen benutzt werden!»

20:16

Nachdem ich sie gefragt hab, ob sie Sport macht, kam die Antwort: Fahrrad fahren, Handball und ficken :O

20:18

Dann will sie wohl mit dir Fahrrad fahren oder Handball spielen.

20:17

Na, wie läuft's mit deiner neuen Ollen?

20:59

Naja, sagen wir, zwischen dem «Hey Süße» und «Ich bin schon vier Tage drüber ...» liegt 'ne Menge Spaß ...

20:18

Ich brech meine Diss ab. Will jetzt lieber erforschen, was zur Hölle die in das Bier mischen, dass man davon immer so schnell duselig wird.

20:19

Äh ... Alkohol?

20:23

Diese Antwort erspart mir viele mühselige Jahre im Labor. Kehre nun zum Ursprungsthema zurück.

20:18

Ich glaub, ich hör zu laut Musik ...

20:21

Warum?

20:23

Wenn die Leute in der S-Bahn anfangen, dazu zu tanzen, obwohl ich Kopfhörer aufhab, ist das schon ein Hinweis ...

20:18

Ich habe gerade ein Getränk erfunden, welches die Getränkebranche neu definieren wird. Es ist perfekt für die Klausurphase und fitnessbewusste Menschen! Und jetzt pass gut auf: Magerquark mit Kakaopulver uuuuuuuund Kaffee! Sensationell, oder?

20:19

knick knack?

20:24

tick tack?

20:31

halbe Stunde bin ich bei dir :-D

20:21

Mensch, meine kleine Schwester hat ständig Sex, nach der Trennung von Papa hat sogar meine Mutter wieder Sex, meine Mitbewohnerin hat gerade im Moment Sex – Maaann! Ich bin das einzige Mädel in ganz Hannover, das solo ist und trotzdem keinen Sex hat! Du bist meine beste Freundin, hol mich hier raus! Lass uns Männer aufreißen! Jetzt!

20:39

Äh, sorry Süße, aber ... also ... ich hab grad Besuch ... und ...

20:24

Komm vorbei!

20:27

Jo, gleich, ich spann nur noch schnell 'ne neue Saite auf meine Geige.

20:29

Gute Umschreibung :D

20:24

Ich hab diesen Sommer schon so oft «Regen» geschrieben, dass mein T9 anstatt «seinen» zu schreiben nur noch das Wetter vorhersagt ...

20:28

Alter! Ich ohne Brille. Stehe gerade am Fenster im Bad Zähne putzen. Gucke so rüber, zwei Schnallen auf dem Balkon am Rummachen. Denk mir so, Brille unbedingt aufsetzen. Hätte ich es mal gelassen. Waren zwei Kerle mit langen Haaren beim Wäscheaufhängen.

20:32

Bin gleich da!

20:41

Wo bist du?

21:42

Google Maps verarscht mich ...

20:32

Warum willst du mit mir weggehen? Dachte, dein Freund ist da?

20:34

Ja, ist er auch, aber der schaut «Indiana Jones».

20:36

Der sollte lieber mal sein eigenes Lasso schwingen ;-)

20:33

Ruf mal zurück. Hab gerade zweimal mit deiner Hose telefoniert.

20:38

Ich habe keine Zahnbürste mit.

20:41

Nimm seine. Bei dem, was ihr da macht, macht das auch keinen Unterschied ;-)

20:41

hab mir aus versehen in die hand gebissen :(auaaaaaaa!

20:42

was? wie? :D

20:44

hatte meine hand vor mir, und dann hab ich reingebissen, weiß auch nich warum ... manchmal glaub ich, ich bin total bescheuert :D

20:43

Ich fahre jetzt los. Sind die Kerzen schon an? :-P

20:45

Nee, aber das Bier ist kalt. Ich Traumfrau.

20:43

Kennst du das, wenn einen in den Sommerferien auf einmal lauter Kerle anschreiben, von denen man seit Ewigkeiten nix mehr gehört hat?!

20:50

Da bekommt das Wort «Sommerloch» eine völlig neue Bedeutung ... ;)

20:48

Wenn du ein Junge wärst, würde ich sagen, betrink dich, schau 'nen Porno und hol dir einen runter. Aber du bist ja nur ein Mädchen, deswegen machst du die Light-Version, schaust einen Liebesfilm, isst Schokolade und lackierst dir die Nägel. Das wäre mein neutraler Vorschlag.

20:49

Hat jemand noch Arschkarten, ich sammle die nämlich!

20:50

Ich hab keinen Alkohol mehr im Haus. Aber vielleicht hat sich im Biomüll Alkohol gebildet ...

20:52

Ich brauche dich für eine unvergessliche Zeit. Ich möchte deine Hand halten, ich möchte deine Schultern streicheln und dein Hälschen liebkosen. Ich will dich erkennen, dich genießen und auch dir eine Ergötzung schenken. Es wird die größte Wonne, die du bisher erlebt hast!

21:03

BITTEEEE ... lösch meine Nummer!

20:52

Wenn du auf den wartest, wirst du wieder zur Jungfrau.

20:56

Und du bist so einzigartig wie eine Schneeflocke. Vielleicht eine pappige, die gleich in den Matsch fällt, aber immerhin.

20:58

Ich will dich das nicht laut vor den anderen fragen. Ist was passiert, Süße? Du siehst verheult aus :(

20:59

Nein! Es ist nichts passiert, ich bin nur ungeschminkt!?! Aber danke, dass du so höflich bist, es nicht laut zu sagen :)

21:01

Hier ist es so warm, ich möcht ’nen Fächer. Gibt’s für Jungs nicht ein Modell aus gebürstetem Aluminium?

21:02

Das Date läuft gut. Sie ist so wunderwunderschön. Sie hat Lachfältchen im Mundwinkel. Wenn sie so süß redet, zwinkert sie mit den Äuglein. Ich glaub, ich bin verliebt, und das nach einer halben Stunde. Ich bin so aufgeregt, ich will nichts falsch machen, aber sie bringt mich zum Kichern, und ich glaub, sie mag mich auch.

21:11

AAAALTER! Du bist eine böse, große, fiese, tätowierte, glatzköpfige, motorradfahrende Kampfmaschine, ich will so was wie eben NIE wieder von dir lesen, du Muschi, das ist peinlich, echt mal! Fick sie, und gut ist, du Penner.

23:30

Wir machen einen Nachtspaziergang um den Maschsee!

21:03

Soll ich irgendwas mitbringen? Vielleicht eine Erektion?

21:04

Hey C. ... Lebst du noch, oder bist du entführt worden?

21:06

Wer soll mich entführen? :-) Alles gut ...
(Äh, sie haben gesagt, ich soll das sagen. Sie wollen 3000 Pralinen in kleinen Schachteln!)

21:06

Hey! Sag mal, könntest du uns vielleicht mit einem bisschen Butter oder Margarine aushelfen?

21:07

In meinem Kühlschrank ist Bier und Käse, wenn du daraus Butter machen kannst, kann ich euch gerne helfen.

21:07

Schatz, was machst du gerade?

21:09

Neue Schimpfwörter lernen.

21:13

Fußball gucken mit deinem Vater?

21:09

Ich mein, der sieht nicht nur einfach gut aus. Er hat Humor UND Charakter ... Er ist sozusagen ausgestorben.

21:09

... wie, wir gehn zu Fuß!? Ich hab keine Schuhe für zu Fuß!!!

21:10

Warum denkst du, dass er dich nicht will, wenn du kleine Brüste hast? Große Brüste sind auch nur so ein Extra.

21:12

Hättest du früher Pferdezeitschriften gekauft, wenn keine Extras dabei gewesen wären?

21:13

Ich bin jedes Jahr aufs Neue überrascht, wie viele Weihnachtspornos es doch gibt ...

21:14

Ich liebe dich doch! <3

21:17

Davon funktioniert die Waschmaschine auch nicht wieder ...

21:14

Hey Süße, wie ist dein Date? Ich hoffe, ihr versteht euch gut?

21:14

Gut??? Wo hast'n den Spacken her? Der sieht weder gut aus, noch ist er lustig oder nett! Was soll der Scheiß?

21:16

Süße, das ist die Rache für den Motorrad-Nazi <3 Ich wünsch dir 'nen schönen Abend :)

21:15 – 22:36
Ich liebe Headbangen
mit nasen Haaren

21:15

Ich wünsche dir heute einen tollen Abend. Und tue dir selbst den Gefallen und beachte die Mädels nicht, sonst muss ich dich und sie leider umbringen. ;) Aber sei ansonsten ganz unbeschwert, ich liebe dich! <3

21:16

Dem Schiff beim Sinken zuschauen? Guckst du Titanic oder was? :D

21:16

Ich bin in einer Beziehung :D Ich brauche nicht Titanic gucken, um einem Schiff beim Sinken zuzusehen.

21:16

Hallo. Ich arbeite in der Kneipe S. in der Düsseldorfer Altstadt. Wir haben heute beim Aufräumen eine dm-Tüte mit Erbrochenem und einem Zettel mit dieser Telefonnummer gefunden. Haben Sie dafür eine Erklärung? Die Tüte kann an der Theke bei K. abgeholt werden.

21:37

Die Tüte war ein Geschenk. Das Erbrochene hol ich morgen ab.

21:17

Ich zieh heut Jeans, T-Shirt und Chucks an und besteche allein durch meinen Charakter und mein liebes Wesen :)

21:20

Äh ...

21:23

Jaja ok, ich zieh das nuttige Rote und die Glitzer-Highheels an.

21:18

Ja, das stimmt, so spielt das Leben.

21:19

Das Leben kann keine Noten lesen und spielt Triangel.

21:21

Er hat sogar die Facebookfreundschaft mit mir gekündigt.

22:53

Ohh, das ist ein herber Schlag :P

22:55

Ja. Das verletzt mich mehr als die eigentliche Trennung :D

21:21

L. ist da. Wir essen gleich. Steak, Pimmel und Salat.

21:22

Ich liebe Headbangen mit nasen haaren! Gibt nix besseres auf der welt.

21:23

Lies es bitte noch mal.

21:22

Der scheiß Bus kommt einfach nicht! Erst in 25 min. Aaaaah! Aber gegenüber ist ein Tattooladen, und der Tätowierer sitzt dort mit nacktem Oberkörper und haut sich 'nen Burger rein ...

21:28

Er ist einfach weggelaufen ... Wie soll ich mich jetzt beschäftigen? WIE????

21:30

Er ist wieder da. Zweiter Burger am Start. Alles wieder gut!

21:24

Hey Süße, was machst du heute Abend? Hab Lust, dich zu sehen <3

21:26

Ich hab dir doch gesagt, dass ich was am Auge hab. Nicht nur, dass ich aussehe wie ein Anfängerboxer nach seinem ersten Kampf, nein, ich kann mich nicht mal mehr schminken, das macht die Sache nicht grade besser!

21:36

Weißt du, in den 2 Jahren, die wir zusammen sind, habe ich gelernt, nicht oberflächlich zu sein :-*

21:25

Und dann hat meine Mom gesagt, mein Freund ist der langweiligste und unattraktivste Mensch, den sie kennt :O

13:22

Da hat's mal endlich jemand auf den Punkt gebracht!

21:26

Ich sag es jetzt einfach noch mal: Mit einem Samsung wirst du langfristig nicht glücklich werden.

21:27

Langfristig glücklich werden würde ich gerne mit einem Mann. In solchen Dimensionen denke ich bei Handys nicht!

21:27

Hab jetzt grad aufgehört zu lernen und werd langsam Richtung Bett gehen. Obwohl ich schon so aufgeregt bin, dass ich nur in der Gegend rumrenne.

21:33

Warme Milch mit Honig und Masturbation! ;-) Viel Erfolg morgen!

21:28

Mit wem muss ich schlafen, um mein Deutsch-Abitur zu bestehen?

21:29

Schiller?

21:29
L. und ich stehen bei Real an der Kasse mit 2 Maxi-Boxen Kondome. Die Verkäuferin guckt die Verpackungen an, guckt uns an, grinst und sagt: «Ich wünsche ihnen schöne Festtage!»

21:30
Der Film hier könnte genau deinen Tumor treffen :-D

21:31
Z. hat ihr Zungenpiercing gegessen. Wir kommen etwas später. O_o

21:31
Lass dich nicht von ihm verarschen. Du hast echt was Besseres verdient als dieses Opfer!

21:34
Ehrlich? Wie wär's mit dir?

21:36
Naja, wir wollen's ja nicht übertreiben!

21:32

Ich schlaf morgen bei dir, und in diesem Kontext steht «bei» sowohl für «bei» als auch für «mit» :D

21:35

Mit dieser Annahme lehnst du dich aber arg weit aus dem Fenster, Freundchen!

21:32

Bin grade kurz davor, Zigaretten zu kaufen :(

21:33

Los! Tu's! Du willst diesen Stängel zwischen deinen Lippen spüren. Du willst ziehen. Du sehnst dich nach diesem Gefühl, wenn der ganze Geschmack sich in deinem Mund und deiner Lunge ausbreitet. Gib diesem Verlangen nach!

21:34

Hey. Ab wann dürfen wir kommen?

21:35

Ab 0,5 Promille!

21:35

Tut mir leid, bin müde, komm nicht mehr.

21:47

Der strafende Blitz des Zeus soll dich treffen, Thors Hammer dich erschlagen und die 7 Plagen Gottes dir widerfahren! Mit Narrenkappe sollst du geteert und gefedert werden, und dein erster Sohn soll eine Tochter sein!

21:35

Hast du grad versucht anzurufen? Oder war das ein Versehen?

21:37

Habe mir das Telefon in den BH gesteckt (mangels Taschen), scheinbar hatten meine Brüste das Bedürfnis, mal durchzuklingeln.

21:35

OMG, er hat mir eben geschrieben!

21:36

Es ist auch Halbzeit ;)

21:36

Ich hab gestern mit dem Papst, Gott und dem Weihnachtsmann telefoniert. Alle habe ich besser erreicht als dich. Schöne Grüße von Gott.

21:36
Wollen wir uns nachher zum Saugen treffen?

21:40
Samstagabend: Tee, zwei Brote, Wärmeflasche, Liebesroman ---> perfekt
22:03
Heizdecke, Leitungswasser, Nivea, 'n Rätselblock und die Schlagerparade – top
22:05
Wir zwei wissen halt, wie man es krachen lässt!

21:43
Mach mir wenigstens auf, nachdem ich dir die Nationalhymne geklingelt habe!

21:43
Cousinchen, tust du mir einen Gefallen in Sachen Intrige? Wir wollen A.'s Ex eifersüchtig machen. Musst nur mit ihm Arm in Arm in die Bar gehen.
21:44
So wie ich gerade aussehe, wird die sicherlich nicht eifersüchtig, sondern schadenfroh!

21:43

Ich hasse Menschen und Tiere! Karotten und Steine sind ok.

21:44

Ich hatte mal in der dritten Klasse eine Freundin (hat Mama mir erzählt), die schon einen leichten Busen hatte. Und dann meinte ich zu Mama, während sie mit mir gelernt hat: «Du Ma, die V. hat schon einen Busen», und Mama meinte dann total verzweifelt: «Den kriegt man erst, wenn man Mathe kann» :)

21:45

Das erklärt meine kleinen Titten :)

21:44

Wie findet sie mich denn so?

21:50

Also bitte. Wir sprechen doch nicht über so belanglose und unwichtige Dinge wie Jungs. Wir reden ausschließlich über existenziell wichtige Dinge wie Schuhe ;)

21:45

Ok. Es ist offiziell. Ich habe die zwei größten Pickel der Welt. Bin auf dem Weg zum Notar.

21:48

Boah! Ich hatte gerade voll den Autounfall. Mir ist so ein Typ im Kreisverkehr mit 60 Sachen in die Fahrerseite vorne gefahren!!! Ich zittere am ganzen Körper ... Kannst du Tee machen?

21:56

Oh Gott ... Ist alles okay? Bist du verletzt? Wie geht's dem Auto?!

22:10

Hat ordentlich gerumst, aber nur ein paar Kratzer und 'ne Beule am Auto ... Ich hab den soooooo angebrüllt, bis ich dann gesehen hab, dass der total niedlich war! Er will sich mit 'nem Essen morgen entschuldigen! Ist das nicht cool?! Date und Telefonnummer in 2 min?!

21:48

Wer hat mir auf die Mailbox gebellt?

21:53

Du weißt, dass deine Woche scheiße ist, wenn du mit heruntergelassener Hose im Bad stehst und nicht mehr weißt, was du hier eigentlich wolltest.

21:54

Was? Wahrscheinlich aufs Klo, oder?

21:55

Das war nach dem Ausschlussverfahren die einzig logische Antwort.

21:55
Was Situation veganes München mit Reis
22:51
Das Schlimme ist, dass ich weiß, was du meinst.

21:55
Weißt du, du solltest mal wieder hier vorbeischauen. Wir haben diverseste Dinge zu besprechen!
21:56
«Divers» kann man nicht steigern.
21:58
Ich kann alles steigern, Baby! Frag mal am Chuck Norristen!

21:57
Der Dezember war echt spitze. Wenn ich in meinem Handy ein «g» eintippe, kommt als Wortergänzung «Glühwein». So viel zu dem Thema.

21:59
Ich brauch die Nummer von der Taxizentrale in Braunschweig! Schnell, es geht um Sex oder nicht Sex!

21:59

Wo steckst du? Und wehe ich bekomme als Antwort eine Präposition und einen weiblichen Namen!

22:00

^:)

22:01

hast du ’ne beule?

22:00

Warum kommst du nicht mit? Schlecht drauf?

22:03

Stell dir vor, ich wär ’ne Frau, hätte meine Tage, und jemand hätte über meine Frisur gelacht …

22:01

Ach papperlapapp!

22:02

Jetzt wird nicht gepapperlapappt, jetzt wird gepopperlerpoppt!

22:01

Hast du bei uns in der WG 'ne Gurke und 'nen Salat auf den Küchentisch gelegt? Sind letzte Woche aufgetaucht und gehören niemandem.

23:05

Ach ihr habt die! Ich such die schon überall! Wie geht's der Gurke denn?

22:02

Hey. Hab was zu essen geholt, komm mich abholen.

22:09

Bin sofort da. Sag aber bitte vorher, wo ich hin muss und wer du bist.

22:03

Uns fällt der Putz von der Decke! Haste ein Kaninchen zu Besuch?

00:16

Oooh no ... das ist mir jetzt peinlich :-/ Er ist jetzt weg! Tut mir so leid, aber darauf war ich auch nicht vorbereitet.

00:19

Gut ... Ich geh kurz raus zu den Nachbarn, die sich mit ihren Bademänteln vor ihren Haustüren versammelt haben, und sage Bescheid, dass wir jetzt schlafen können ;) Mensch, Mensch, wir haben Dienstag!

22:03

Ich hab eben versucht, mit M. Schluss zu machen ...

22:05

Und?

22:06

Er hat nein gesagt.

22:06

Wenn du die Wahl hättest zwischen 3 kleinen Titten oder einer einzigen Supertitte, was würdest du wählen?

22:06

Vorschlag: Du kommst jetzt zu mir, und wir fangen da an, wo wir gestern aufgehört haben!

22:11

Du meinst genau an der Stelle, an der deine kleine Schwester weinend reinkam, um dir zu sagen, dass ihr Hamster tot ist?

22:07

?

22:10

Ja ok, ich bring Bier, du holst Pizza!

22:12

:)

22:07

Du, kannst du kurz vorbeikommen und an mir riechen?

22:11

WAS?

22:12

Ich bin erkältet und weiß nicht, ob ich stinke ... bitte ...

22:09

Ich laufe über die Straße und gebe einem entgegenkommenden Fahrradfahrer High-Five ... :-/

22:10

Wo ist das Problem?

22:12

Das war nicht mein Kumpel, und der hatte die Hand nur ausgestreckt, um anzuzeigen, dass er abbiegt!

22:10

Scheiße, ich hasse mein Leben. Bin mit J. in der Kneipe, und W. sitzt am Nebentisch. Und N. kommt auch gleich. Ich werd einfach tun, was jede stolze Frau tun sollte, die mit ihrem Freund unterwegs ist und ihren Ex und den Typ trifft, auf den sie schon ewig heimlich steht.

22:21

Und das wäre? Ich hoffe doch, allen klarmachen, wie glücklich du mit J. bist, und die anderen ignorieren?

22:55

Ich dachte mehr so daran, mich mit 'ner Flasche Bacardi aufs Klo zu verkriechen und mir die Kante zu geben ...

22:12

Kennst du das, wenn sich am Tisch alle über politisch aktuelle und superwichtige Themen unterhalten und du nur dran denkst, was du als Nächstes aus deinem Strohhalm basteln könntest?!

22:12

Ich weiß endlich, an wen er mich erinnert! An deinen Bruder!

22:38

Na toll ... Wenn man dich hat, braucht man auch keine Verhütungsmittel. Nach deiner SMS konnte ich ihn nicht mehr angucken, ohne an meinen Bruder zu denken ... fahr jetzt nach Hause.

22:13

Ich lebe wie ein König!!!!!

22:50

Jau, und die restlichen 28 Tage des Monats bist du pleite.

22:13

Bin da. Kommst du raus? :*

22:13

Ob du wirklich richtig stehst, siehst du, wenn das Licht angeht!

22:14

Um es zusammenzufassen: Ich habe jetzt mehr Blumen als ich Vasen besitze! Ist das nicht romantisch? Und wie war dein Date so?

03:23

Mmh naja ... im Prinzip wie deins – hab mehr Sex als Kondome gehabt :-/

22:16

M. hat mich gerade geküsst! Ich hab mich noch nie nüchtern so besoffen gefühlt xD

22:17

Ich sollte dir 'ne SMS schreiben und dich an irgendwas erinnern, ich weiß nur nicht mehr, an was. Vielleicht erinnerst du dich trotzdem :)

22:21

Heey! Ich komme so wie immer, nur später.

22:21

Dir ist schon klar, dass wir gerade Schluss machen?

22:22

Wenn du eine Rose in der Wüste wärst, dann würde ich mich den ganzen Tag vor dich knien und weinen, damit du nicht vertrocknest :-*

22:24

Erwartest du darauf eine Reaktion meinerseits?

22:27

Ich versteh dich einfach nicht! Du spielst mit meinen Gefühlen! :-(

22:29

Fühle! Fühle! Fühle! Fühle!

22:27

Was ein geiles Telefonat! Aber keine Ahnung, wer das war.

22:29

Hey du! Na? Ich bin übrigens Tobi :)

22:30

Hey du! Na? Lust bei jemand anderem Tobi zu sein?

22:30

Schatz, wann machen wir wieder Sport? ;-)

23:20

Wenn du hinter Sport ein Zwinker-Smiley machst, dann weiß ich nicht, ob das 'ne Sex- oder Jogginganfrage ist ...

22:30

Hi, also Sex ist ja etwas ganz Natürliches, und wir freuen uns auch, dass es euch so viel Spaß macht, aber wir verstehen hier unten den Fernseher nicht mehr. Geht es vielleicht auch etwas leiser? Gruß Mama

22:33

Das ist ja alles schön und gut, aber ich bin gar nicht zu Hause!

22:30

Da kostet Kotzen nur 1,50 €.

22:31

Wieso muss ich dafür zahlen?

22:34

Ahh ... Das sollte heißen Kurze kosten 1,50 €.

22:30

Ich will dich.

22:33

Ich will Baby ;)

22:35

Jetzt ist die Zeit, über Grammatik nachzudenken.

22:31

Stecken schon wieder fest!

22:35

Ach, nein doch nicht.

02:01

Stecken schon wieder fest!

22:32

Mich beobachtet ein Fussel .__.

22:32

OMG, ich glaub, ich montiere zur Blondine.

22:34

Der Hund ist nicht weg! Ihr Idioten habt ihn im Wohnzimmer eingesperrt!!!

22:34

Und du bist jetzt der Schwamm für T.'s Tränen?

23:00

Ja, wäre lieber 'ne Teflonpfanne ...

22:35

Wann bist du denn ca. fertig?

22:38

Moment ... ich werfe einen Blick in den Spiegel.

22:40

Ok, ich sehe überraschend sexy aus ... in 15 min kann es losgehen!

22:35

Kann man sich mit Schlagsahne die Beine rasieren?

22:36

Ich bin so aufgeregt wegen morgen!

22:39

Trink einen Kamillentee.

22:40

Ich habe ein Date, keinen Durchfall!

22:37 – 00:05
Bin unsichtbar.
Bin auch betrunken

22:37

Ich sitze hier auf dem Sofa, streichle die Kotze und frage mich, wie man die Autokorrektur am Handy ausmacht …

22:39

Boaaah! Kriegt's endlich auf die Reihe! Oder trinkt Gift oder so. Shakespeare hat mir gezeigt, dass das die zwei Optionen sind.

22:43

wenn wir uns sehen, werde ich dich vögeln, bis du nicht mehr kehrschaufeln kannst …

22:45

Dieses Geräusch … ist das eine Katze, der man den Schwanz in der Tür eingeklemmt hat? Nein! Es ist der Typ in der Wohnung über mir, der 'nen Orgasmus hat.

22:47

Schon scheiße, das Singleleben. Keiner mehr da, der mir die schwarzen Haare auf Rücken und Schulter wegmacht …

22:48

«Nein, da ist noch Platz», sprach die Leber. «Es dreht sich noch nicht genug», sagte das Hirn. «Hey, hier ist es noch zu dickflüssig», meinte das Blut. «Ooohhhh nein, hier bitte nichts mehr rein und erst was raus», flehte die Blase.

22:48

Ich wusste bereits beim Vorspiel, dass es schlecht wird. Und dafür hab ich «How I Met Your Mother» verpasst! Ich schmeiß den jetzt raus!

22:50

Scheiße! Was macht man bitte, wenn unvermittelt drei Kerle nackt vor einem stehen, die du gar nicht kennst, und der Einzige, den du kennst, steht neben dir angezogen und grinst dich an???

22:53

Hahahahah, mach ein Foto! Bitte mach ein Foto!!! Hahahah!

22:52

Ich hab gerade versucht, mich aufzubrezeln ... War wohl irgendwie abgelenkt ... ist 'ne Laugenstange draus geworden.

22:52

Meinst du, ich schaff es, alleine «From Dusk Till Dawn» zu gucken oder ist der zu brutal?

23:07

Hat sich erledigt, ich guck jetzt «101 Dalmatiner».

22:53

Nun ist es endgültig vorbei! Er hat was mit der Schlampe, die neulich mit uns bei dem Konzert war.

23:14

Hm, das ist jetzt doppelt doof. Ich hab auch was mit ihr ...

22:53

Wir werden uns nun in illustrer Runde ein paar Prozente installieren.

22:54
Wie kommst du nach Hause?
23:04
Ich werde kriechen, rollen oder irgendeine andere primitive Fortbewegungsmethode nutzen.

22:56
Dachte grade, mich fotografiert jemand durch's Fenster, bis ich gemerkt hab, dass es gewittert :)

22:56
Du bist manchmal echt penetrant
22:56
Was ist penetrant noch mal?
22:57
Wenn man hübsch und schlau ist :-*

22:59
Das war soo schön! Er war voll süß, und zum Schluss haben wir uns sogar geküsst.
23:00
Penis!
23:00
Sorry, scheiß Wortvorschläge ... Ich wollt prima schreiben :D

23:00

Wie geht's dir?

23:01

Hab 'nen Kater von gestern. Und dir?

23:03

Gut. Arbeite am Kater von morgen.

23:03

Schlaf gut, Hasi!

23:08

Hasi? Ich bin Mausi.

23:03

Ich liebe die Kommunikation mit dir :*

23:04

*Ich dich auch :**

23:05

Genau das meine ich!

23:04

Ich liege auf dem Sofa und wärme meine Füße
an dem überhitzten Netzteil meines Laptops.
Love mein Singleleben <3

23:04

Mein Chef meinte eben, ich wirke so, als wäre ich immer in meiner eigenen kleinen Welt :/ Ich bin doch kein Atheist!

23:06

Stell dir vor, es würde Zombies geben. Mann, hätte ich Angst.

23:09

Zombies essen Gehirne, demnach bist du in Sicherheit :)

23:06

Gott, wie ich dieses Spiel gerade hasse. Wenn die jetzt auch noch Elfmeterschießen machen, sind die Haare an meinen Beinen wieder nachgewachsen, ehe er kommt.

23:06

Ich kann nicht mehr. S. steht im Zimmer, dreht sich im Kreis und sagt voller Überzeugung: «Ich bin ein Rechteck, ich bin ein Rechteck» :D

23:06

Und wo hurst du am Wochenende wieder rum? :)

23:08

?!

23:09

Tourst! Dummes Handy.

23:07

Lass mich nie wieder für 'nen Kerl kochen, den ich ins Bett kriegen will!

23:08

Wieso, was ist passiert?

23:12

Er hat es höflich runtergewürgt. Zwei Stunden später ist er mit Magenkrämpfen heimgefahren. Hat mir zum Abschied noch 'nen Zwanziger dagelassen, «damit ich mir mal was Anständiges zu essen bestellen kann».

23:09

Heute Mittag gab's Lauch-Käse-Suppe. Abends Knoblaucholiven. Ich bin jetzt so was wie eine biologische Waffe!

23:10

Gute Naaacht, zukünftiger Sexualpartner!

23:10

JEDESMAL WENN ICH ZUFRIEDEN MIT MEINEM AUSSEHEN BIN, HAT KEINER ZEIT! UND DAS AUCH NOCH AN EINEM SAMSTAG!

23:11

Stehe unter deinem Fenster ... lass dein LAN-Kabel herunter.

23:12

T., ich brauche deine Hilfe! Du musst mein Date sabotieren. Ruf an und sag, du wärst meine Oma und bist gestorben oder so. BITTE!!!

23:14

So schlecht? Naja gut, dann also doch die Ex-Freund-Nummer :)

23:12
Bin jetzt fast nackt im Netto.
23:13
???
23:14
Bett.

23:12
Der Typ gibt grad 'ne Runde Jägi aus und bestellt einen zu viel und schüttet ihn mir in meinen Ausschnitt und meint «der ist später für mich» :D
23:18
Gott, was 'ne schlechte Anmache!
05:36
Er hat seinen Jägi bekommen ;)

23:12
Wo seid ihr, wolltet doch schon vor 'ner Stunde mit Bier da sein?!
23:14
Tasche ist vor dem Hang gerissen. Sitzen 50 m den Hügel runter. Trinken den Spaß, damit wir nicht so viel schleppen müssen.

23:12

Alter! Hätte ich gewusst, dass meine Freundin so hohle Freunde hat, hätte ich die gleich am ersten Abend abgeschossen!

23:21

Warum das? :D Aber ja, schieß sie ab!

23:42

Wir haben gerade über unheilbare Krankheiten geredet und haben angefangen, welche aufzuzählen, und dann sagte eine plötzlich «Apartheit». Alter, Apartheit. Wenn ich länger mit der zusammen bleibe, verblöde ich noch.

23:12

Gerade mit dem Sektkorken eine Fliege erschossen. Du bist mein Alibi ...

23:13

Ich werde ihn jetzt unter «Rätsel» in meinen Kontakten abspeichern!

01:02

Rätsel ... Erinnert mich irgendwie an eine Mischung aus Hänsel und Gretel :)

23:13

Hab grade bei meinen Eltern auf der Terrasse heimlich eine geraucht und alle 4 (!!!) von unseren Katzen haben mich dabei beobachtet und strafend angeschaut.

23:15

Ich bin auf einer Party, und A. ist auch hier. Soll ich ihn grüßen?

23:17

Oh mein Gott! Bitte nicht!!!

23:18

Schöne Grüße zurück!

23:15

Bist du heute am Start?

23:16

No no no no no no (bitte gemäß 2-Unlimited singen!)

23:15
Ich hab vergessen, meinen Lippenstift abzuwischen, er sieht jetzt aus, als hätte er ein Schaf gerissen ...

23:17
:D :D ich find dich viel lustiger seit du trinkst.
23:31
ich find dich auch viel lustiger seit ich trinke.

23:17
Sitz hier mit drei Typen. Der eine hat mir vorhin seine Liebe gestanden. Der andere hat mich gefragt, ob ich mit ihm heut nach bumse. Und auf den dritten steh ich.
23:20
Freu dich! Du hast heute Nacht dann auf jeden Fall Sex!

23:22
Klopf klopf!
23:24
Wer ist da?
23:28
Meine Periode! Und du hast das ganze Nutella aufgefressen!

23:22

Kennst du das, wenn dir ’n Kerl in den Nacken haut? Steh ich total drauf!

23:23

Haucht! Oh Mann, manchmal erschrecke ich mich über mein Handy, was es doch so über mich weiß :/

23:23

Das Vodkaglas macht «bling bling», und alles ist vergessen ;D

23:24

Sollte ich als Mädchen eigentlich stolz sein, dass ich lauter rülpsen kann als mein Freund, oder sollte ich mich schämen?

23:35

Du hast ’nen Freund?

23:24

Wenn ich «Freunde» eingebe, macht meine Autokorrektur «erfunden» draus. Forever alone :-(

23:24

Du kennst diesen Moment am Ende eines Highschoolfilms, bei dem der Außenseiter vom Basketballteam, der noch nie zuvor bei einem Spiel mitgespielt hat, in der letzten Sekunde den entscheidenden Ball wirft, der über Sieg und Niederlage des Teams und des Typs entscheidet und bestimmt, ob das Team in eine bessere Liga kommt.

23:25

Und dann ist der Ball in der Luft, und die Zeit ist abgelaufen, und alle schauen ganz hoffnungsvoll dem Ball nach; der Ball trifft den Korb – natürlich in Zeitlupe – und kreiselt eine gefühlte Ewigkeit auf dem Korb herum ... Genau das ist mir gerade passiert, nur dass der Ball mein Handy war und der Korb die Kloschüssel ...

23:25

Bei dem, was wir treiben, kommen wir ganz sicher in die Hölle!

23:27

Ja, ich hab schon mal 'ne Pärchensuite reserviert ;)

23:25

Hey Leute, Probe morgen muss leider ausfallen, weil meinem Proberaum 'ne Außenwand fehlt ...

23:27

1508, mein Handycode, falls ich ihn wieder vergesse, wenn ich besoffen bin.

23:31

F. hat mich gerade für 13,50 € auf ebay versteigert! :(

23:32

Ekelhaft bunt gemusterte Monster, die in meinen Organen herumfliegen, von denen mir schlecht wird, wenn ich an eine gewisse Person denke, welche ich mag.

23:32

S. ist ziemlich betrunken, glaub ich.

23:32

Merkt sie ihre Zähne noch? Sie hat mir erklärt, wenn sie betrunken ist, merkt sie ihre Zähne nicht mehr.

23:34

Sie meint, noch merkt sie die :D

23:32

Hey Schwesterherz, darf ich noch deine Schokolade essen?

23:36

Ja, von mir aus. Was wärt ihr bloß ohne meine Vorräte?

00:02

Dünn.

23:34

Kann es sein, dass deine Mama gerade im Pyjama die Hauptstraße entlangläuft? Dachte, ihr feiert mit der Verwandtschaft?

23:37

Niemals, die hab ich vor ein paar Minuten ins Bett gebracht. Die hatte ein bisschen zu viel Wein ;)

23:42

Halt sie auf! Bin sofort da!!!

23:35

Haha, wurde grad von den Bullen angehalten, weil mein Handy aus der Tasche gefallen ist beim Laufen und die dachten, ich hätte den Shit weggeschmissen und wär vor denen abgehauen. Dabei bin ich doch nur joggen xD

23:36

Ok, sitz grad in Wermelskirchen und frag mich, wie weit mein Atem reicht! Kannste das riechen? Haaaaaaaaaaaaaaaaaaaaaaaaaaaaaaaaaaaaaaaaaaaaaaaaaaaaaaaaaaaaaaaaaaaaaaaaaaaaaaaaaa aaaaaaaaaaaaaaaaaaaaaaaaaaaaaaaaaaaaaaaaaaaaaaaaaaaaaaaaaaaaaaaaaaaaaaaaaaaaaaaa.

23:37

Traumfrau gesichtet, aber will sie nicht stören … ein Skinhead in 'nem schicken Anzug, ein Pirat und eine Oma mit 'nem Hamster tanzen um sie rum und singen dieses «Zieh dich aus, kleine Maus»-Lied …

23:41

Ein Pirat?! Wo bist du?!

23:42

Im Rewe …

23:37

Lederhose ausgezogen! Hurra!

23:38

Gratulation, aber wer bist du?

10:13

Lederhose ausgezogen! Hurra!

23:40
Ach, ich kann gut auf mich aufpassen!
23:45
*Ich hoffe es :-**
23:46
Mach dir keine Sorgen, ich kann Brennnessel!

23:40
Bei dem Gürtel, den du mir geliehen hast, braucht man keine Angst haben, dass man aus Versehen mit wem schläft.

23:41
Ich will den Blonden.
23:41
Ich nehm den Blonden da! :)
23:42
Mist.

23:41

Wenn man in der U-Bahn steht, und die wackelt und der Bauch mitwabbelt, ist das dann Sport? Wenn ja, treib ich grad welchen, wenn nicht, wabbel ich einfach nur lustig vor mich hin ;)

23:41

Scheiß Studium ... scheiß Klausuren ... Motivation ... wo bist du? Kommst du denn voran?

23:44

Ja, in Facebook hab ich jetzt ein neues Profilbild, mein Latte-Macchiato-Schaum ist jetzt so stabil, dass er fünf Zentimeter über dem Glas noch steht (mit Keks!), mein Xing-Profil ist jetzt auch up to date, und ich gucke meinen Pflanzen beim Wachsen zu! Oh, und Küche und Bad sind hochglanzpoliert!

23:41

Hast du mein Höschen geklaut?

23:44

Als Pfand, dass wir wieder was machen. :)
Sry, war halt echt schon voll.

23:43

Ich mag den echt. Ich hab keine Lust mehr auf belanglose Bumserei.

23:47

Du wirst alt, meine Liebe ;)

23:43

Krnnst dz das lied drei chinesen mit nem kontrabss? Wie hing das?

23:48

Drei Chinesen mit dem Kontrabass, saßen auf der Straße und erzählten sich was. Kommt die Polizei, ja was ist denn das? Drei Chinesen mit 'nem Kontrabass :D Sonst nix, das wird immer wiederholt.

23:49

Vokk traurig :(

23:44

Woran erkennt man, dass Wochenende ist? Meine Mitbewohnerin rennt mit Badeanzug und Deoflasche durch die Wohnung und schreit: «Mit der Macht des Mondes.»

23:46

Was ist mit dir?

23:51

Alter, ich muss morgen arbeiten! Eskalier du für mich mit.

23:47

Wir sitzen auf einer Bushaltestelle.

23:47

Auf?

23:56

Ja. Und wir kommen nicht mehr runter :/

23:47

Ey, die Blonde neben dir ist echt heiß. Ist die frei?

23:55

Pack die an und ich verkauf dir 'n Opferabo für dein ganzes Leben. Das ist meine Freundin, du Lauch.

23:49

Klingel bei mir, der Schlüssel steckt von innen.

23:50

Warum ziehst du ihn nicht einfach raus???

23:51

Horrorfilm.

23:50

Sag mal ... kann man Blumen essen?

00:28

Ich warne dich! Wenn du mich um diese Uhrzeit angesimst hast, nur um das zu fragen, bist du fällig!

00:31

~Es ist ein Traum~ ~Vergiss es~ ~Es ist ein Traum~

23:52

Die anderen sagen, du sollst was zu trinken mitbringen – Vodka.

23:58

Soll ich jetzt wirklich Vodka holen?

00:05

Als mein Handy vibriert hat, haben alle gerufen: «JA, VODKA!» :D

23:53

Ich schenk dir die Oma ;)

23:54

Was will ich mit der?

23:55

Weiterverschenken! Irgendwann verwischt die Spur! ;)

23:55

Ich will da nicht drüber reden. Das ist ein Wunderpunkt :(

00:30

Was ist ein Wunderpunkt? So was wie eine Magiestelle?

23:55

Ich werde dich so lange lieben, bis Spongebob seinen Führerschein bestanden hat.

23:56

Sorry, ich muss mit meiner Nase schreiben. Meine Handschuhe lassen es nicht zu, dass ich in irgendeiner Form mit meinen Händen schreiben kann.

23:57

Du bist keine Kurve, du bist ein Kreisverkehr.

23:58

Nicht weinen ... Wir passen einfach nicht zusammen.

00:01

Was soll ich denn sonst machen?! Soll ich wie Rumpelstilzchen im Kreis hüpfen, als er/sie/es dachte, dass er/sie/es das Kind von der Königin bekommt? Was das Vieh wohl damit wollte. Pädophiles Ding ... Wie die Königin sich wohl dabei gefühlt hat ... Und so was hören sich Kinder an, echt schrecklich! :/

00:04

Einer der Gründe, warum das mit uns vorbei ist. Du bist einfach zu leicht abzulenken.

00:01

Ist mir egal, wo du bist, aber du solltest wissen, dass deine Hose hier vor der Haustür liegt. Mama

00:01

Wie sehr liebst du mich?

00:05

Sehr.

00:08

Solang du das nicht in Fußballfelder umrechnen kannst, ist mir das zu unkonkret.

00:01

Schlechtester Tag ever. A. wollte, musste aber gleich los – zu N., die war nicht da – Date mit M. für abends klargemacht – A. hatte plötzlich Zeit, wollte aber nicht mehr – Anruf von M.: Date abgesagt – N. ruft an, würde zwar gerne, ist aber zu spät, bis ich da bin – dann auf zu D., vergebens, da «Roter Alarm» ...

00:04

*Du machst eine Rundfahrt von *grübel* gut und gerne 100 km, und von 6 möglichen Sex-Dates mit den Mädels ist die Erfolgsrate 0,0 %? Mann, ich bin zu Hause geblieben und hatte mehr Sex als du.*

00:03

Hey, die S., der C. und ich wollten dich fragen, ob du Lust hast, mit ins Schwimmbad zu gehen morgen?

00:09

Wenn die's mit Bier füllen ... dann vielleicht ja.

00:03

M. Wo bist du?

00:04

Ich bin unsichtbar. Ich bin auch betrunken.

00:04

Meine Hamster hatten gerade Sex.

00:04

Jeder muss irgendwas können.

00:05

Und Hauptsache, ich kann atmen! Aber das sehr gut, ich hab jahrelange Erfahrung damit ... Eigentlich müsste ich Geld dafür kriegen ... ich mach mich damit selbständig und bringe es auch anderen bei!

00:07

Du bist ein Sauerstoff-Kohlenmonoxid-Wandler. Du bist der Anti-Baum!

00:04

Sie hat ihm ein Herz auf die Pinnwand gepostet. Frustsuff, jetzt sofort!

00:08

Mach es wie die Möwen bei Nemo. Schreib einfach drunter: Meins, meins, meins! :D

00:05

Hey :* Ich hab vergessen, wann und wo wir uns heute treffen ... Na ja ... Was ich eigentlich sagen wollte: Wann und wo treffen wir uns heute?

01:03

Hab lange überlegt ... Treffen wir uns heute überhaupt???

00:07 – 01:50

Wurde in eine spontane Bolognese verwickelt

00:07

Ich verklag dich. Wegen dir habe ich in meiner Wohnung einen Rotz und Wasser heulenden Typen sitzen, der mein Date sein sollte >.<
Hol den sofort ab. Er ist besoffen. Ich musste ihn ins Bad sperren, damit er aufhört, meine Wände zu streicheln. Bitte komm schnell!

00:09

J. meinte gerade, ob ich spür, dass es zwischen uns immer enger wird, und umarmt mich. Ich hab's ernst genommen, bis er meinte, dass es zwischen ihm und meiner Mama auch enger wird.

00:12

Zieh die Aufmerksamkeit auf dich, indem du deinen Handrücken küsst, und sagst: «Ich liebe dich.»

00:12

Du weißt schon, dass das meine verrückte Freundin S. B. ist, die du da gerade angräbst?!

00:14

Sie spricht aber von einer «S. B.» in der dritten Person?!

00:15

There you go ...

00:12

Ich verspüre den Drang, 1,50 m großen Metallern den Kopf zu tätscheln ... Zählt das jetzt als sexuelle Vorliebe?

00:15

Lass den in Ruhe, den kenn ich. Und der ist 1,60 m ;)

00:22

Den? Hier sind sechs davon ... Einer mehr, und ich müsste Schneewittchen suchen!

00:12

Liebe vergeht nicht immer! Manchmal wird sie nur ganz klein und hat dann noch mal Potenzial, emporzuschießen wie ein Wolkenkratzer!

00:14

Manchmal möchte ich unter meinen philosophischen Ausbrüchen einfach den Like-Button drücken <3

00:15

Gute Nacht – Gruß an Luci!

00:15

Gruß zurück! :) Lucy mit Y! Haha

00:17

Wir taufen unsere Schwiegertöchter, wie wir das wollen!

00:16

Ich will nicht wissen, wo du bist oder was du machst, aber vor unserer Tür stehen zwei leichtbekleidete Blondinen und fragen nach dir. Meld dich bitte. Mama

00:17

Bus leer ... hab Busfahrer gefragt, ob ich singen darf ... er hat ja gesagt ... ich singe! :-)

00:18

Die eine von vorhin hatte echt Charme!

00:21

Wow, deine bisher niveauvollste Umschreibung für geile Titten.

00:20

L., wenn du wieder nüchtern bist, schreibe 'nen Satz mit mindestens 7 Worten!

00:22

Du bist ein kleiner dreckiger Hurensohn PUNKT

00:25

Ok, das ist akzeptabel.

00:21

Ich bin bei Leuten, die ich nicht kenne, und trinke. Ich schlafe bei denen. Sie haben ein 100-kg-Hausschwein, das neben mir im Bett schlafen wird. :)

00:27

Schlaf gut, Süßer! Ich kuschel mich imaginär an dich ran!

00:29

Gute Nacht! Ich unterdrücke imaginär einen Pups!

00:27

B. isst grade Kaffeefilter. Er meint, die schmecken wie der Kuchen seiner Oma.

00:27

So, zu Hause. Ich weiß gar nicht, wie ich den Typ zuerst nennen soll: Riesenbaby. Klammeraffe. Bürohengst. Muttersöhnchen. Freak. Einsam. Und nicht zu vergessen: der Falsche.

00:28

Jetzt schnarcht er auch noch wie so ’n Sägewerk!

00:33

Oh ja, das hatte ich letztens auch! Du musst versuchen, ihm heimlich den Finger in den Po zu stecken (natürlich niemals machen, nur andeuten!). Dann sind die für Stunden hellwach!

00:30

Kannst du mich bitte abholen?

00:43

Lol! Kuss, Mama

00:31

ich soll dir von mama ausrichten: wenn du nicht bald heimkommst, verschenkt sie deine pornosammlung! bitte beeil dich, es geht um unser beider leben!!!

00:32

Du bist ’n Kerl und mein bester Freund. Du musst doch irgendeinen Tipp haben. Ich kann nicht ohne ihn :(

00:39

Genieß dein Singleleben, masturbiere, das macht bestimmt Spaß. Du hast Brüste, spiel mit denen rum!

00:34

Ich bin im Champignon ... lass da Räucherlachs treffen?

00:37

Scheint so, als hättest du dein iPhone schon.

00:34

Hier sind gerade 3 Polizisten durch den S-Bahnhof gerannt und haben uns gefragt, ob wir «eine oder mehrere Personen mit einer Couch oder einem anderen Möbelstück» vorbeirennen gesehen haben.

00:38

Liebes, pünktlich zum Beginn des neuen Tages wünsche ich dir alles Gute zum Geburtstag, bis später, Mama

10:45

Danke Mama, schön dass smsen jetzt endlich klappt :) Aber zwanzig vor eins nenn ich nicht pünktlich ...

11:02

Hab aber pünktlich um Mitternacht begonnen zu schreiben.

00:38

Ba doomm boom ps tzz ps tzz boom dom

00:41

Sag deiner Katze, dass es mir leidtut, dass ich sie beschuldigt habe, dass sie stinkt. Ich glaube, es waren doch meine Füße.

00:43

Ich hab gerade Feierabend und werd mich schön mit 'nem Buch ins Bett legen.

00:45

Ich kann auch vorbeikommen und mich dazu ins Bett legen. Ist nicht so anstrengend wie lesen.

00:45

Aber auch nicht so spannend ;)

00:44

warum werden wir deutsche eigentlich immer auf bier reduziert?

00:45

weil wir bier sind.

00:46

He, wie heißt der pinke Vogel, der die ganze Zeit auf einem Bein steht?

00:48

Alter ... es ist kurz vor 1, ich muss morgen arbeiten, und DU nervst mich mit einem Flamongo!?

00:50

Flamongo? Bist du dir da ganz sicher?

00:47

Mach bitte die Haustüre leise zu, wenn du kommst!

03:29

Das war nicht leise!!!

00:51

Wir haben geraucht ... und jetzt sitzt A. auf dem Flur und tackert Käse.

00:54

Hab grad V. gesehen, so hässlich, wie du gesagt hast, ist er nicht.

03:14

Hast du mit ihm geschlafen?

09:13

Ein bisschen ... Hast du Lust auf Frühstück? Bin grad von seiner Wohnung weg.

00:58

Ich hab meine Facharbeit fertig! Meine mit Neurotransmittern gefüllten Vesikel lassen gerade unglaublich viele Dopaminmoleküle in den synaptischen Spalt, was bei mir ein Gefühl von Glück auslöst!

07:14

Ich habe nur verstanden, dass irgendetwas in deinem Spalt ist und dich glücklich macht :D

00:59

sach ma bisde schon auf der party??

01:02

üüüüüüüüüüüüüüh...

01:04

ich werte das als ja xDD

01:02

Junge, wenn du die Alte schon im Treppenhaus vögeln musst, dann geht wenigstens vom Lichtschalter weg ... Sieht aus, als wenn einer im Leuchtturm S-O-S morsen würde.

01:03

Alter, die Stripperin hier ist eigentlich ganz geil ... wenn ich nur beim Anblick ihrer Netzstrümpfe nicht immer an Rollbraten denken müsste ...

01:03

Ich kann meine Hose nicht finden, und die Freundin von J. kommt gerade nach Hause! Jetzt sitze ich mit Handy im Schrank und kann sie über dem Schreibtischstuhl hängen sehen ... Ich hasse mich manchmal für meine Ordentlichkeit!

01:14

Oh Gott, das ist zu witzig! Ich sitze auf dem Klo, und meine ganze Schminke ist verschmiert, weil ich mich vor lachen am Sekt verschluckt hab und heulen musste. Wo bist du jetzt?

01:15

IM WANDSCHRANK!!!

01:04

komm mal morgen mit conne und mir aufn weihnacgstmarjt!

01:04

weihnacktsbmrkt mein ich

01:05

Wir haben August.

01:06
Ich hab ein paar Erinnerungslücken von gestern Nacht ... und zwar von dem Moment an, als wir uns an den Zaun gestellt haben, bis zu dem Moment, als ich irgendwann auf unserem Zeltplatz saß ...
01:07
Jaaaa, da hab ich auch 'ne Lücke ...
01:08
Da haben wir rumgemacht, oder?

01:07
Hey, hast du irgendwo Heiner gesehen?
01:09
Das ist mir Heinerlei!
01:15
Ok, hab das tapfere Heinerlein gefunden. So kommt Heiner zum andern.

01:08
Ich hasse kotzen auf Partys ... da kommt einem alles hoch, und man denkt so über den Sinn des Lebens nach, und alle schauen einem dabei zu.

01:09

Werf ihr das einfach mal an den Kopf.

01:12

Imperativ mit i.

01:23

Werfi.

01:10

Wann bist du endlich hier bei der Party?

01:15

Woher weißt du, dass ich zur Party gehe? O.o

01:17

Wir sind Facebook-Freunde! Ich weiß ALLES von dir!

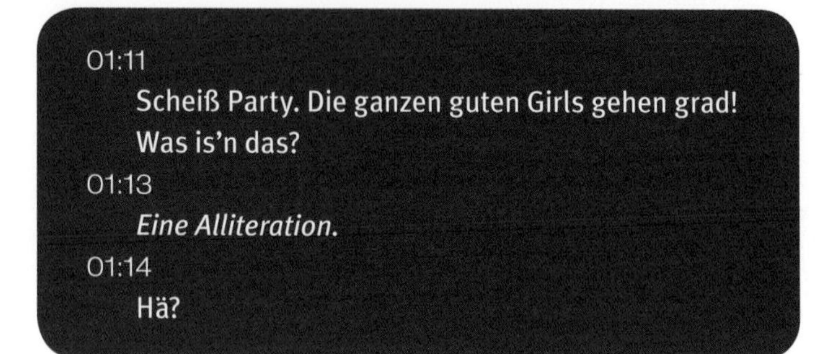

01:11

Scheiß Party. Die ganzen guten Girls gehen grad! Was is'n das?

01:13

Eine Alliteration.

01:14

Hä?

01:12

Und haben sie dich wieder gut aufgenommen?

01:18

Sie haben mich beschnüffelt und als Teil ihrer Herde erkannt :)

01:12

Lalalalalalalalalalalalalalalalalalalalalalalalalalalalala-lalalalalalalalalalalalalalalalalalalalalalalalalalalalalalala-lalalalalallalalalalalalalalalalalalalalalalalalalalalalala-lalalalalallalalalalalalallalqlalalqlqlqlqllqlqlqllqlql qllqlqlqlqlqllqlqlalallalalalalalalalalalalala.

01:15

Ich würde vorschlagen, du gehst dann mal langsam ins Bett …

01:18

La.

01:12

Bin im Krankenhaus in der Notaufnahme.

01:18

Süße, was ist los? Was Schlimmes? Kann ich dir helfen?

01:31

Nee, passt schon. Hab eine Fliege an der Wand erschlagen. Aber sie hat sich getarnt und mich heimtückisch getäuscht und sich am Ende im Halbdunkel als 5 cm langer Nagel herausgestellt.

01:12

Kann man Kondome in einen Kuchen einbacken oder schmelzen die?

01:13

Alter, ich glaub, ich hab mit deiner Katze geflirtet O_o

01:13

Leprakranker Tapirhoden! Syphilisverseuchter, Pest und Cholera verbreitender Pavianpimmel! Inzestuöser Sohn eines Halbtrolls und einer Orkschlampe!

01:14

Sind gerade mit «Herr der Ringe» fertig geworden. War toll, konnte am meisten Sprüche auswendig ...

01:16

Schatz. Nur komische, bodenlange Ledermäntel tragende Vollfreaks battlen sich in so etwas.

01:20

Auf diesen Vorwurf antworte ich mit den Worten Gimlis: «ishkaqwi ai durugnul»!

01:16

Sag mal, gibt es Pfosten aus Gummi?

01:17

Nein!

01:17

O. ist gegen ein Pfosten gelaufen. Entweder der Pfosten ist aus Gummi, oder er hat Eier aus Stahl.

01:17

Mein bauch wsr arg teuer. Den kann icj doch nicht einfach wegtrainieren!

01:21

Mein Leben hat keinen Sinn mehr. Ich bin single, pleite, hungrig und komme bei «Super Mario» nicht weiter.

01:23

Welches Level?

01:25

8 ...

01:22

Also, ich wäre eigentlich bereit für etwas Neues, und mich verletzt es auch nicht, wenn du sagst, zwischen uns wird es nichts mehr. Dennoch will ich nur dich – was ist los mit mir?

01:26

Ich glaub, ich weiß, was du meinst. Mir ist total schlecht vom Alk, aber trotzdem will ich was essen ... kann man das vergleichen?

01:23

Ich vermisse dich so ... Es läuft unser Film, ich bin betrunken und ziemlich scharf ... Kommst du her?

01:30

Naja, wenn du mir versprichst, «betrunken und scharf» aufrechtzuerhalten, setz ich mich ins Auto und wäre laut Navi in 14 h 27 min da ...

01:23

Maßgeschneiderte Speckhosen!

01:30

Bitte was?

01:31

Wir werden Millionen verdienen!!! Erklär ich dir, wenn ich zu Hause bin.

01:23

Ich glaube, ich bin leicht überarbeitet! Stehe mit meinem Autoschlüssel vor dem Getränkeautomaten und überlege, warum sie meine Zigarettenmarke nicht führen.

01:24

Komme nicht mehr. Aber dir viel Spaß noch! Trink nicht zu viel, nicht, dass du was Dummes tust ;-)

05:00

Ich liebe dich. Immer noch irgendwie!

09:34

Siehst du, das habe ich gemeint ...

01:25

Wenn Mittvierziger zu den Rhythmen von Takata und Gangnam Style die Hüften schwingen, ist es Zeit, den Hugo mit Vodka zu mixen. Prost!

01:26

J. ist sooo süß! Wie ein kleiner Junge, dem man einen Lolli schenkt, weil er so niedlich ist.
So was kann ich doch nicht zum Freund nehmen.
Da kriegt man ja Karies von.

01:26

Hab eben 'ne Wette verloren und musste ein Mädchen anlabern (natürlich das geilste aus der Gruppe) und sie mit einem Elchgeweih auf dem Kopf fragen, während ich mit den Füßen scharrte, ob sie meine Elchkuh sein möchte. Neuen Tiefpunkt erreicht, dabei hatte ich mir echt vorgenommen, mich zu benehmen!

01:28

Ich wünschte, du wärst jetzt hier :/

03:12

Ok ... ich wusste ja von Anfang an, dass ihr euch gut versteht ;) Aber dass du den gleichen Gedanken wie mein Penis hast, ist dann doch etwas merkwürdig.

01:32

Er ist nichts für mich :-(

01:34

Warum nicht, Süßer?

01:37

Er ist über meinem Niveau ... Er kann den Genitiv richtig benutzen und sagt nie «wie» statt «als» ... Da kann ich nicht mithalten :-(

01:34
Meine Eltern haben meine geheimen Ninja-Fähigkeiten bemerkt und direkt neben die Gartentür 'nen Eimer gestellt. Als Falle. Es hat funktioniert.

01:34
Mein Ex steht an der Bar mit irgendeiner schrulligen Ische, was soll ich tun?
01:37
Schütt ihm dein Getränk über und knall ihm eine!
01:39
Nicht nötig, hat das Weib grad erledigt *WIN*

01:34
Ich find dich echt ziemlich heiß ... stelle mir die ganze Zeit vor, was ich mit dir mache, wenn wir uns mal wieder treffen.
01:45
Ich dachte immer, du wärst hetero?!
02:02
Was?! An wen hab ich denn bitte die letzten zwei Tage SMS geschickt?! o.O

01:34

So, um dir schon einmal drei Fragen zu beantworten, die du stellen wirst, wenn du hier bist ...
1. Ja, ich habe mein Zimmer grob aufgeräumt.
2. Ja, ich habe mein Bett neu bezogen.
3. Nein, ich hatte keine andere Frau hier.

01:36

Hi, sorry, dass ich nicht mehr auf der Party bin, ich weiß, dass du extra wegen mir noch gekommen bist. Wollen wir das ein anderes Mal nachholen? Bin umgeknickt und lieg gerade im Krankenhaus ...

01:40

Hi, bin noch gar nicht da gewesen, sitze grad hinten im Polizeiauto.

01:43

Ok, du hast gewonnen ;-)

01:37

Aktuelle Gemütslage: «3 Tage wach» oder «Wie ich eine Hausarbeit mangels vorliegender Literatur mit Hilfe der Amazon Blick-ins-Buch-Funktion schrieb ...»

01:37

Du kannst aber auch Amor nach 'nem Pfeil fragen und machst den Scheiß einfach selbst!

01:42

Hilfe! Hab gerade mit so 'nem Typen geflirtet, er hat mich gefragt, wie alt ich bin. Ich meinte, ich bin 19 :-/ Was soll ich nur tun, wenn er merkt, dass ich erst 18 bin. HILFE!

02:13

Mich hat gestern ein Streifenhörnchen nach meinem Namen gefragt, ich habe gesagt, ich heiße Joe, diese Lüge wird mich für immer verfolgen. Mann, Mädel, mach dir nicht ins Hemd ...

01:42

?

01:53

! Oh Babe, womit hab ich dich nur verdient?

01:54

Ich mag deine einfache Art zu denken :)
Wie so 'n Affe :) Ist süß :D

01:43

Kannst du mir meine Hose bringen? Die hängt beim DJ überm Pult.

01:44

Alter, wir suchen dich schon überall! Wollen los, wo bist du? Was ist los? Und überhaupt: Was? Hose? DJ?

01:46

Bin im Damenklo. Frag nicht … Mich hat so ’ne Schnalle angegraben, mit hierher geschleppt und mir die Hose ausgezogen und dann … ist sie mit der Hose raus. Steh hier in Unterhose. Wenn ich zur Tür rauslinse, kann ich die Hose sehen beim DJ. Hauptsache, der macht nicht gleich ’ne Ansage oder so. Bitte bring sie mir!

01:45

Ich kann nicht schlafeeen, mir schwirren so viele Dinge im Kopf rum :(

01:51

Das nennt man Denken – hab keine Angst davor!

01:45

Soll ich sonst noch was mitbringen?

01:46

’nen Kerl vielleicht … ?! :)

01:49

Ok, ich schau mal, was ich im Kühlschrank so finden kann … Geht Gesichtswurst auch?!

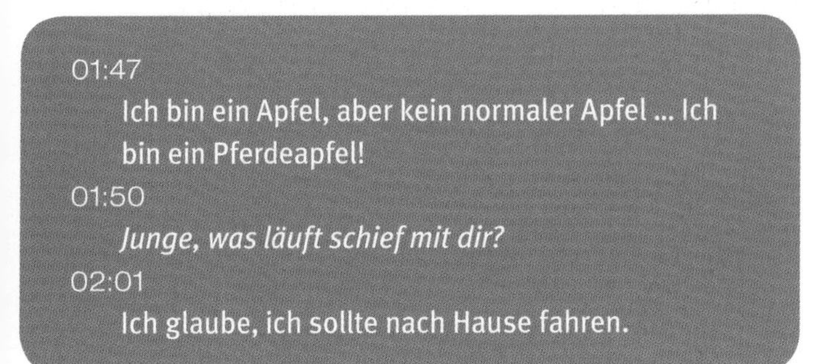

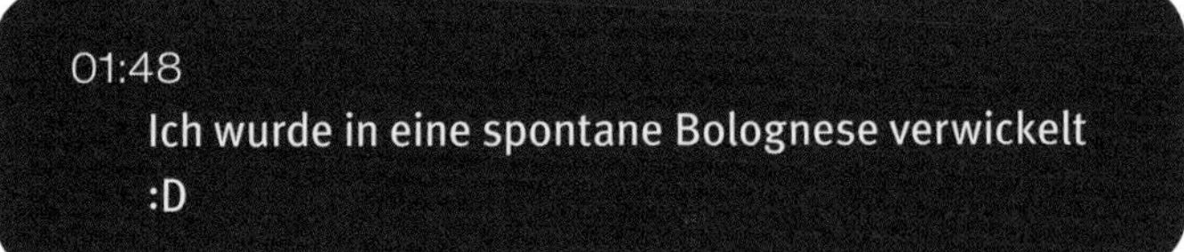

01:50

Schatz, im Fernseher geht RTL nicht mehr!

01:51

Ruf die Polizei!!!

01:57 – 03:30
Scheiß auf Karma,
ich bin Superman!

01:57

Ich hab gerade Popcornkrümel in meinem BH gefunden, ich muss wohl im Kino gewesen sein?!

02:00

Früher besangen gutaussehende Männer die Schönheit von Frauen in Minneliedern, ohne dass sie jemals hoffen konnten, Sex mit ihnen zu haben. Heute steigen die Tussis mit hässlichen Kerlen ins Bett, die ihnen ganz offen sagen, dass sie ihren Hintern zu fett und ihre Brüste zu klein finden.

02:03

Wenn das die Folgen der Emanzipation sind, finde ich Emanzipation scheiße.

02:00

Ich sitze gerade im Bad und hobel mir die Hornhaut zu Rammstein.

02:01

Du bist wie eine Pommes.

02:05

*Schlank und heiß? :-**

02:08

Äh nee, fettig und klein :D

02:01

Alter hilf mir, deine Ex gräbt mich an!

02:07

Ich erklär's dir einfach und effektiv ... Willst du meine Krankheiten?

02:02

Mein Leben ist ein Trümmerhaufen. :(

02:06

Dann bist du eine Trümmerfrau.

02:13

Nein. Die bauen ja auf. Ich baue ab!

02:03

Ich bin der Meister der Gedankenprojektion! Wenn ich wollte, könnte ich dir Gedanken von Walzer tanzenden Spreewaldgurken in den Kopf setzen! Siehst du? Schon geschehen! Muhahahahaaaa!

02:04

Gucke gerade «Star Wars II».

02:07

Ich dachte, du hasst «Star Wars»?!

02:09

Ist auch so. Versuche auch schon die ganze Zeit, die Fernbedienung mit der Macht zu erreichen.

02:04
Rosen sind rot, Gras ist grüner, ich kann nicht dichten, gegrillte Hühner.

02:30
Haha, wie besoffen du wieder bist. Was willst du mir damit sagen?

02:35
Ich sitze in deinem Garten und esse Hühnchen.

02:04
und als ich gekotzt hab, hab ich gleich noch mal gekotzt, weil ich gekotzt hab!

02:04
Sex gegen eine Wand ist geil. Sex gegen eine Wand, die mit Leuchtfarbe gestrichen ist, ist auch geil. Aber nicht, wenn die Farbe noch feucht ist. Wenigstens leuchte ich jetzt im Dunkeln.

02:05
Oh, da sah grad jemand genauso aus wie du in hetero :D

02:06

Wir machen durch bis morgen früh und singen bumsfallera.

02:13

Wir bumsen durch bis morgen früh und haben Durchfallera!

02:08

Bin gerade in einer fremden Küche inmitten von drei anderen Bewusstlosen aus meiner Ohnmacht erwacht. Ich glaube, die stapeln die Ohnmächtigen einfach in der Küche!

02:08

Es ist Samstag. Ich bin im Club.

16:43

Es war Samstag? Ich war im Club?

02:09

Ich hab Nasenbluten. Du glaubst gar nicht, wie schwer es ist, 'ne SMS zu schreiben, wenn man sich das Handy übern Kopp halten muss ...

02:12

Hab gerade Freudenschreie meiner Nachbarin gehört. Wer liefert um die Uhrzeit eigentlich noch Schuhe? ;-)

02:12

Wir machen jetzt 'ne Kneipentour. Einzige Regel: Immer wenn einer 'ne Abfuhr kriegt, wird die Bar gewechselt.

02:13

Barwechsel! Die Jungs haben's einfach nicht drauf!

02:12

Ich rechne grade meinen Bauchspeck in Hühnchen um.

02:13

Alter!!! Ist das bei dir? Man hört «Paradise City» die ganze Straße runter!

02:17

Ist das neue Lieblingslied meiner Nachbarn. Ob sie wollen oder nicht.

02:13
Danke! Ich bin wie ein Krapfen. Nur das ich nicht voller Marmelade bin, sondern voller Dankbarkeit. Schade eigentlich.

02:13
Altaa. Nieeeeeee wieder ’nen Joint. Ich hab grad über eine Stunde lang versucht, meine Mikrowelle mit der Fernbedienung umzuschalten.

02:13
Keine will mich haben, ich weiß einfach nicht, was ich noch machen soll :(

02:21
Probier’s doch mal wie die Meerschweinchen: Die brummeln so komisch und wackeln langsam mit dem Hintern hin und her.

02:14
Bin diese Woche zum zweiten Mal mit meinem Chef in der Kneipe gelandet. Und es ist erst Dienstag!

02:14

Ich bin so der Chick-Magnet – wenn ich angequatscht werde, dann um zu fragen, wo die Toiletten sind.

02:15

Ich weiß, was ich später mache ... Ich kaufe mir einen Chihuahua, nenne ihn Gucci ... und danach werde ich wieder hetero.

02:17

Es geht los, mach mal den Fernseher an! Soeben ist ein außerirdisches Raumschiff in die Erdumlaufbahn eingedrungen, und sie sind nicht friedlich, ich wiederhole NICHT friedlich! Bring dich in Sicherheit!!!

02:35

Du Arsch, ich hab dir geglaubt und bin voll ausgeflippt. Danke, jetzt denkt meine Freundin, dass ich total bescheuert bin!

02:38

Ich komme in Frieden.

02:17

Und das alles nur, weil du den Stuck an der Decke interessanter fandest als meine Brüste ...

02:18

OMG, wo seid ihr alle??

02:30

Die Frage ist eher, wo sind wir nicht :D

02:23

Hey, was machst du, ich mach mir Sorgen!

02:37

Ihc geniesse den boden.

02:27

Was ist klein, grün und hat drei Beine?

02:30

Ein Tannenbaum mit zwei weiteren Beinen?

02:33

Ich weiß es nicht, aber es war in meinem Glas, und ich glaube, ich habe es mitgetrunken.

02:27

Lieber neuer Nachbar, wir wissen, dass Sie Single sind, aber könnten Sie Ihre Pornos einen Tick leiser machen?! Ach so, Ihre Nummer haben wir von Facebook. Am besten mal die Seite privatisieren! MfG, K.

02:28

Markus ist hier.

02:46

Hör doch auf! Der riecht immer so gut. Riech mal an dem, also unauffällig. So wie ein Häschen auf der Suche nach einem Möhrchen!

02:30

Hauptsache jemand läuft an meinem Haus vorbei und singt «Ich geh mit meiner Laterne»!

02:32

Hab gehört, du hast vorhin wen abgeschleppt? Den Blonden?

06:55

Jap. Torwart. Der weiß, wie man Bälle hält.

02:33

Haha, hab grad im Bus ’nen völlig Fremden von hinten umarmt, weil ich dachte, der wär du ... Sein Gesicht war das Geilste! Sein Name ist Jan, wir hocken nebeneinander und sind jetzt Freunde!

03:15

Hahahahaha, ist zwar ’ne plumpe Anmache, scheint aber geklappt zu haben ... Wenn du fertig mit ihm bist, mach bitte die Tür auf, es ist kalt, und wir warten hier alle und wollen ihn mal kennenlernen, diesen Jan ;)

03:20

Wie lange steht ihr schon da unten? o.O

02:33

Schatz, wir brauchen ein neues Bett! Das hier dreht sich!

02:33

?

02:36

–

02:38

:(

02:34

Hey ... ich weiß, es ist schon spät ... aber Bock zum Quatschen? Ich weiß ... du bist 'n Typ ... aber hier im Dorf lebt kein Mädel, und du bist noch am weiblichsten ...

02:34

Die Vernunft tut mir voll leid. Die verliert irgendwie immer ...

02:35

Das ist geil, dass Atlanta so lang untergegangen war.

02:36

Ich mochte Pippi Langstrumpf nie. Wahrscheinlich, weil ich mich mit ihr nie so recht desinfizieren konnte.

02:39

Auch als Kind muss man auf seine Hygiene achten, dass ist im Fall von «Pippi» besonders wichtig!

02:37

Alter, wo ist mein Zahn?

02:38

Schau mal in deinem Geldbeutel nach, da müsste der drin sein!

02:39

Ah cool, danke!

02:37

Ich hab ein fixes Ziel :) Riech ich mich selbst, geh ich nach Hause.

02:38

Immer wenn mir langweilig ist, zähle ich meine Arme!

02:43

Wo seid ihr denn? Ich such euch.

02:45

Wolfgang Borchert, Drama, 1947, St. Pauli Landungsbrücken.

02:53

Alles klar, ich komm raus. Aber hey, selbst beim Partymachen bist du mit Abstand die komplizierteste Freundin, die ich je hatte.

02:45

Diese Vogelscheuche kommt mir nicht in unsere WG!

02:51

Sie ist keine Vogelscheuche, du solltest sie mal im Hellen sehen :)

02:55

Und du in nüchternem Zustand.

02:46

Hey, leider hat meine Mutter uns vorhin doch gehört ... und ich war mir sicher, sie pennt :-) Hab ihr jetzt erzählt, da sei 'ne Flasche runtergefallen. Hat sie mir abgekauft! Bis morgen, du «Flasche» :-)

02:46

Hol ihn endlich ab. Er steht mit einer Sprühflasche vor seinem Bett, sprüht es mit Wasser voll und schreit: «Ich hab ein Wasserbett, ich hab ein Wasserbett!»

02:46

Krass, ich bin dichter als eine U-Bahn in Tokio, aber schreibe wie ein Philosoph. Autokorrektur ist mein Vater!

02:48

Lernen in der Nacht <3

02:49

Schlafen in der Nacht <3

02:48

Ich hab den Ballon jetzt, wo bist du?

02:49

Sorry, SMS war nicht an dich.

02:52

ich wiiiill den BAAALLOOOOOOOOOONNN !!!!!!!!!!!! !!!!!!!!!!!!!!!!!!!!!!!!!!@!!!!!!!!!!!!!!!!!!!!@!!!!!!!!!!!!!!!

02:51

Schön ist es auch, sich selbst in den Ausschnitt zu sehen und dabei so abgelenkt zu sein, dass man gegen die Wand läuft. Aua.

02:53

C

12:30

Moin ... Was ist mit A und B passiert? Alles fit?

02:55

Ey Hasu, ich brauch entlich deinen Penis hier bei mir im Bett ...

07:31

Guten Morgen, mein Schatz. Ich erinnere dich jetzt zum letzten Mal: Dein Freund heißt «Paul» und nicht «Papa»!

03:00

Merke: heimlicher Sex und Bewegungsmelder sind keine Freunde!

03:00

Du musst mir noch das Lied raussuchen später!

03:07

Alter, ich find grad nicht mal meine Boxershorts.

03:01

Mein Freund hat die Wette verloren und sitzt grad perfekt geschminkt in meiner geilsten Unterwäsche an der gegenüberliegenden Bushaltestelle und wartet auf den Bus :)

03:02

Es heißt «charmant» und nicht »scharmant», Süße. Und ein «Schameur» ist er hundertpro auch nicht ;)

03:07

Ich hasse es, wenn du mich auf den Boden der Absichten zurückholst.

03:03

Alter, welcher Genius des Bösen hat das Nutellaglas in den Kühlschrank gestellt?!

03:04

Sorry ...

03:05

Deinetwegen ist mein ganzes Brot kaputt!

03:04

Werde es mir zu Gemüte führen, wenn ich zu Hause bin.

03:06

Hab Gemüse gelesen.

03:13

Und ich hab «gegessen» gelesen und wollte dich schon beglückwünschen ...

03:04
Die russische Kälte kommt! Hoffentlich bringt sie Vodka mit.

03:06
Was machst du grade?
03:08
Kennst du den Begriff «Schlaf», Junge? Ich hab «Star Wars» als Klingelton und hab gedacht, 'ne Invasion beginnt ...

03:07
mit is grad klargeworden, dass ich dich eigebtlich ganz sympatisch finde. früher konnte ich dich nicht leidn, aber du bis voll ok!
09:09
Gut! Wurde auch Zeit, dass du mich ok findest. Wir sind ja bald ein Jahr in einer Beziehung :D

03:09
Grade mit zwei Mädels raus! Glaub mir, die lösen zu zweit nicht das Kreuzworträtsel in der Bild! Also easy going.

03:11

Er will Sex! Was soll ich tun?

03:19

Streck alle viere von dir und stell dich tot.

03:12

Guck mal rüber, da an der Bar. Wie findest du'n die?

03:15

Wenn ich 'n Kind hätte und das hätte 'n Haustier und das Haustier 'n Baby – das wäre sie.

03:12

Deine Pizza wurde aus mysteriösen Umständen, die niemand versteht, von Aliens entführt. Keine Sorge, ich verfolg die Weltraumschweine!

03:13

Pseudo! Du hast no Großstadt-Credibility! Provinzbiene! Woher hast du überhaupt diese Nummer?

03:18

Credibility hast du doch gegoogelt!

03:13
Tut mir leid, aber für solche Kontakte wie dich sind mir meine 32 GB zu schade.

03:14
Ohhh, er ist Polizist. Da bekommt heute Nacht der Ausdruck «fuck tha Police» 'ne ganz neue Bedeutung.

03:14
Das Leben hat keine Konsequenzen mehr! Scheiß auf Karma, ich bin Superman!!!

03:15
Wir hatten gerade zweimal hintereinander Stromausfall.
03:19
Es hat sich rausgestellt, dass das Kurzschlüsse waren, weil M. in die Dreiersteckdose gekotzt hat ...

03:15

Rate, woran ich denke!

03:17

Es ist mitten in der Nacht. Ich schlafe. Und es ist eh wieder mal Pudding.

03:19

Du bist so gut, Junge.

03:17

S. hat Angst, dass er morgen wach wird und schwanger ist :D

03:35

Als Mann?!?

03:45

Ja, mit der Begründung: «Wenn er besoffen ist, ist alles möglich.»

03:18

Voll gegen eine Litfaßsäule gedüst ... Die sind aber auch flink wie die Wiesel, diese Biester ...

03:20

In einem Phönix-Asche-Zyklus befinde ich mich gerade im Spät-Asche-Stadium.

03:21

vertrau nie einem mädel, wenn es sagt, es wohne um die ecke!

03:22

Fakt ist, du kannst mich mal. Ich bin jetzt mit meiner Knoblauchpizza zusammen.

03:23

ic hsv fich luv

03:35

Oha! Beneidenswerter Zustand ;D

03:24

Ich liebe dich! Aber ich sag's dir gleich: Sollte jemand Dinosaurier klonen, tausche ich dich gegen einen ein.

03:25

¡Chh liiiiebe vodkaa <3

12:41

Ich hasse Vodka.

03:26

Uh Mann. Ich hasse es! Ich trau mich einmal, 'ne Olle anzulabern, es klappt alles, wir sind grade aufm Weg zu ihr, die Tusse kotzt mir auf einmal vor die Füße, guckt mich an, heult und rennt weg!

03:26

Entweder wirst du nüchtern, kommst hoch und küsst mich ... oder du verschwindest. Kotzend in meinem Garten kannst du jedenfalls nicht liegen bleiben.

03:27

Bilanz des Abends: 3 Mal angegraben, 3 Mal auf 29 geschätzt, 2 Mal abgewimmelt, 1 Mal rrawrrrr ;)

03:29

Schlafen vor deiner Haustür.

04:17

Schlafen jetzt bei deiner scharfen Nachbarin. Sie hatte Mitleid mit uns und wollte uns nicht im Treppenhaus schlafen lassen ;)

03:30

Ich brauch noch mal jemanden, der standardmäßig sonntags morgens neben mir aufwacht!

03:33

Du meinst 'ne Beziehung?!

03:40

Ja, aber das hört sich als Stellenanzeige nicht so schön an.

03:30

Ich hab festgestellt, dass mein Freund ein Gesicht beim Sex macht, das mich stark an einen Hasen erinnert, der angestrengt schnuppert ...

03:31–06:44

Ixh hab mri grad die haaren sebst geshcnitten

03:31

Seid ihr noch im Club? Bin im Zug eingeschlafen, hab 'ne komplette Runde gedreht und wäre in ca. 5 Minuten wieder bei euch.

03:33

Der ist 58, ich 30! Der sollte froh sein, mich überhaupt küssen zu dürfen.

03:35

Aber dich nach einem Jahr Beziehung mit 'ner 60-Jährigen zu betrügen und dich abzuservieren, zeugt auf jeden Fall von einer guten Portion Selbstbewusstsein seinerseits :)

03:35

Schlaf schön, meine Liebe ...

03:40

Du hast deinen Geldbeutel hier liegenlassen :) Schlaf du auch schön.

03:45

Ich hab dich da liegenlassen, das ist viel schlimmer.

03:37

Wow, wunderschönes Morgenrot!

09:05

*Ähm, Schatz, ich weiß nicht genau, was du gesehen hast, aber morgens halb vier im Winter war es bestimmt kein Morgenrot :-**

03:38

Alle Weiber, die ich aufreiße, haben 'nen emotionalen Knacks. Liegt das daran, dass nur die Kaputten sich mit mir einlassen, oder ist es der tote, leere Blick, der mich magisch anzieht?

03:40

Am Ende investiert man ja doch immer so viel in eine Beziehung: Gefühle, Zeit, Nerven, Klebeband, Schaufel, Müllsack ...

03:41

Ganz leise und unbemerkt schleicht sich diese SMS unter deine Decke und nimmt dich in den Arm :-*

03:41

Stell dir mal ein Leben ohne diesen blöden Fortpflanzungstrieb vor …

03:41

Keine Ahnung, vielleicht wirst du erwachsen :)

03:46

Ha. Haha. Hahahaha hahahahahahahahaha!

03:48

Ja, du lachst. Und dann findest du dein erstes graues Schamhaar. Denk mal drüber nach.

03:42

Wo steckst du? Weißt du, wie spät es ist?!

03:59

Zu diesem Outfit passt jetzt wirklich keine Uhr, Papa! ;-)

03:44

Also darf ich wirklich später mal deine Hochzeit organisieren? Versprochen?

03:55

JA! :)

04:01

Wenn du's brichst, krieg ich dein erstgeborenes Kind!

03:45

Ich war doch gestern bei dem Bewerbungsgespräch ...

03:51

Und? Wie war's?

03:56

... die haben mich gefragt, ob ich gerne feiern gehe. Ich meinte, ja, und dann sind wir mit 3 Leuten ausm Büro und dem Chef los ... der hat gerade eine halbnackte Frau im Arm und steht an der Theke und singt «Griechischer Wein». Ich glaub, ich hab den Job.

03:46

Ixh hab mri grad die haaren sebst geshcnitten!shiet super aUS!

03:47

Lass uns zu mir nach Hause gehen und all die Dinge tun, von denen ich jedermann erzählen werde, dass wir sie getan haben.

03:47

Rückblickend war die Schreibschrift vermutlich das Sinnloseste, was ich je in meinem Leben gelernt habe.

03:48

Du, ich kann nicht schlafen. Ich muss immer an die Maus im Waschbecken denken, das war so eklig :(

03:55

Hängt immer noch das Bild mit den Sonnenblumenkernen an deiner Wand über deinem Bett? Wenn ja, stell dir vor, das wären keine Sonnenblumenkerne, sondern «Neugeborene Ratten», die noch kein Fell haben und deren Augen noch zu sind. Schlaf schön ...

03:53

Sind Schlümpfe eigentlich überall blau?

03:54

Alter, was gibst du mir auch 'nen Schlüssel beim Feiern. Schlüssel verloren!

04:11

GEFUNDEN :-)

06:55

Verloren ...

03:54

Ej süße, ich hab Bock.

04:58

Einen Vogel hast du auch. Morgen hast du dann auch noch einen Kater. Wie toll, dann kannst du bald einen Zoo eröffnen <3

03:55

Wieso schreibst du denn nicht mehr?

03:58

Weil ich anscheinend nur zu deiner Belustigung nackt war!

04:01

Tut mir doch leid, aber ein angetrunkener, nackter Mann, der tanzt, ist witzig.

03:56

Yo Bro, ich hab uns Schnitzel gemacht!

04:05

Alter, ja, ich hab's gehört, Mann!!! Hast du mal auf die Uhr geschaut?! Ich dachte, du machst ein 6-Gänge-Menü, bei dem Theater, das du die letzte Stunde in der Küche veranstaltet hast. Wozu hast den Staubsauger gebraucht?!

04:07

Ich musste die Krümel aus dem Backofen raussaugen :)

03:58

Für den Fall, dass du mich nachher wecken und das überleben willst: Kaffee, 2 Zimtbrötchen und 'ne Schachtel Kippen ...

03:59

Kannst du M. abholen? Der sitzt in der Küche und führt einen Prozess zwischen Kühlschrank und Herd – ich schmeiß nie wieder 'ne Party für Jurastudenten!

04:15

gat de kühlschrdnk schon mem pflichverteisiger?

04:02
passe ich nicht noch zu euch ins bett?
04:02
wie breit bist du?
04:03
nüchtern?!

04:03
Adler an Wolf, bitte kommen! Ich wiederhole: Adler an Wolf, bitte kommen! over und out.
04:05
Mann, warum kann ich nicht mal der Adler sein? :-/

04:03
Oh Mann! Bis vor einigen Monaten hatte ich jeden Tag Spaß. Dann hab ich beschlossen, Medizin zu studieren. WARUM?!!!
04:22
Und das fällt dir samstagmorgens um vier ein? In welchem Club bist du, wir sind im G.
04:30
Ich bin am Lernen, du Arsch!

04:05
Ich hab grade Lakritze in meinem Mund gefunden.

04:05
H., bitte sag mir, dass du keinen Sex in einem Dixi-Klo hattest.

04:06
Komm runter jetzt ... ich steh vorm Haus. Lass mal zu Burger King fahren!
04:09
Äh, hallo, hast du mal auf die Uhr geschaut?! Ich geh jetzt sicher nicht zu Burger King, ich schlafe!
04:10
Pffft, dann nicht. Dann heul mich aber auch nicht voll, dass wir nie was zusammen machen.

04:07
Ich liebe es, mit meiner Freundin zu experimentieren. Ich kitzel sie die ganze Zeit mit ihren Haaren im Gesicht und flüstere ihr «Spinnen ... du hast Spinnen im Gesicht, große, haarige Spinnen ... überall Spinnen im Gesicht ...» ins Ohr. Ich frag sie nachher mal, wovon sie geträumt hat.

04:08

An dieser Stelle möchte ich dem betrunkenen Typen, der laut singend und rufend die Nacht vor der gänzlichen Verschwendung gerettet hat, danken! Es gibt doch nichts Schöneres, als eine ordentliche Randale um 4 Uhr morgens.

04:14

An dieser Stelle möchte ICH meiner Boxershorts danken, die sich im Verlauf der Nacht sukzessive zum String entwickelt und wichtige Körperteile in Mitleidenschaft gezogen hat.

04:21

PS: Vielen Dank auch an den Vollidioten aus der Nachbarschaft, der MITTEN IN DER NACHT SEINE FAHRRADREIFEN MIT EINEM KOMPRESSOR AUFPUMPT!

04:10

Ich geh grad so ins Wohnzimmer. Sitzen R. und K. nebeneinander, jeweils mit 'nem Eimer aufm Schoß. Auf einmal kotzen sie beide gleichzeitig in den Eimer, schauen sich an, grinsen, hauen die Eimer aneinander und sagen «Stößchen» :D Ich krieg mich nicht mehr!

04:11

Guten Morgen, da du leider leicht komatös warst und ich dich nicht wach bekommen hab, habe ich dich mit in die Garage geparkt, also wenn du aufwachst – anrufen!

07:03

Morgen, da ich leider keinen Ausgang gefunden habe, hab ich in die Handtasche auf dem Rücksitz gereiert, ich wär dann jetzt übrigens wach und zur Freilassung bereit!

04:12

Du musst wissen, man kann jedes Tier zähmen. Sobald man die Viecher an den Ohren fasst, gehören die dir. Und genau deswegen sind weiße Haie die schlimmsten von allen Tieren. Denk mal drüber nach!

04:14

Er hat mich beim Sex dreimal gefragt, ob ich ihn heiraten will :D Ich hab's wohl doch noch drauf im Bett. Ich lauf jetzt heim, gute Nacht <3

04:18
Ich hab kein Geld mehr für den Bus, und der einzige Taxifahrer, der hier steht, ist der von letzter Woche, und er will mich nicht mitnehmen :(

04:30
Dachte kurz, mein Pimmel wäre taub. Dabei hatte ich meine Hoseninnentasche inner Hand. Grad noch mal gutgegangen.

04:31
Hau sie nicht raus! Frag nach der Nummer!
Sag ihr deinen echten Namen! Sei lieb!
Versuche EINMAL, nicht du selbst zu sein :P
Behandle sie wie ein menschliches Wesen!
WIR mögen sie!

04:33
Alter, den Riss in der Hose lass ich nicht mehr nähen. Sitz in der Bahn und kraul mir den Sack. Das Leben ist schön.

04:34

Kannst du ihm meine Nummer geben?

12:21

Ich hoffe, du hast ihm nicht meine Nummer gegeben?

04:35

Hey, kannst du deine Lieblingszwillinge bei der Ecke beim G. abholen? Der letzte Bus ist gerade weg, und Mum dreht durch, wenn wir nicht heimkommen. J. ist total besoffen, und wenn du uns abholst, kannst du sie mit zu dir nehmen und mit ihr schlafen.

04:37

Wie bitte?!

04:39

Hat sie gesagt! Ehrlich!

04:36

Digga, deine Nummer endet auf 007! Wat bist du denn für ein Gangster?!

04:36

Kannst du dich noch an die Kleine von vorhin erinnern? Sind gerade auf dem Weg zu mir.

04:40

Waaaas?! Wie das? Viel Spaß ;)

04:52

Sind auf Ananas zu sprechen gekommen, und ich meinte, ich hätte noch eine zu Hause. Sie wollte mitkommen ... jetzt das Beste. Sie hat die Ananas genommen, danke gesagt und ist gegangen. Ich bekomm nie 'ne Geile ab * Ich bin pennen, hau rein ...

04:38

Applaus bitte! Hab in 'ne Tüte gekotzt, die 'n Loch hatte.

04:40

Als ob du lesen könntest!

04:42

Warum zweifeln die Leute trotz einem IQ von 124 immer noch an meiner Intiligenz? :D

04:47

Gott, ich hasse es, nur ihr Kumpel zu sein. Wir waren noch weg und wollten bei mir pennen. Sie legt sich einfach in kurzen Shorts und Top in mein Bett und pennt ein!

04:54

Ich schmeiß nie wieder 'ne Party in meinem Haus! Mein Laptop ist kaputt, das Badezimmer vollgekotzt, und mein Bett ist zusammengekracht!

10:59

Hast du das Loch in deinem Fußboden noch nicht gesehen? XD

04:54

Die Bullen haben mir mein Schild weggenommen!

04:54

Bist du das, die da steht?

04:55

Sag mal, du Nuss, hast du dich mit 'm Hammer gekämmt? Wir stehen 3 m voneinander entfernt!

04:55

Habe gerade zwei Vögel gesehen, die haben Liebe gemacht. Sogar die sind glücklicher als ich ...

05:10

Vergiss die Vögel! Der Vogelmann hat ihr in den Kopf gepickt ... es gibt also auch Vogelarschlöcher ;)

05:00

Ich wollte gerade in den Zug steigen und bin dann über die Stufen gestolpert und hingeflogen. Ich habe geschrien: ICH LEBE NOCH! Und wurde dann von 3 Männern hochgehoben. Korrekte Aussicht auf meinen ersten Vierer!

05:00

Wie kann ein Kerl wie ich dich beeintrocken?

05:01

Bessere Rechtschreibung!

05:01

Ich mag deine Haare :)

05:03

Danke, hab ich mir selbst wachsen lassen ;)

05:02

Du musst deinen Dildo leider umbenennen …
wir bekommen einen Hund, der Gilbert heißt.

05:03

ALTER, wo bist du? Wir haben dich die ganze Nacht gesucht! Waren sogar schon bei der spanischen Polizei! So stellen wir uns unseren Urlaub nicht vor! Gib uns ein Lebenszeichen!

06:47

Sorry Leute! Bin gerade in den Büschen aufgewacht und weiß selber nicht genau, wo ich bin … Hab 'ne Tankstelle gefunden und den Taxifahrer gebeten (oder zumindest versucht), dass er mir ein Taxi rufen soll …

07:08

Oh Mann! Es kam gerade endlich ein Taxi, und als ich ihm den Hotelnamen gesagt habe, fing er an zu lachen und hat mir gezeigt, dass das Hotel 100 m HINTER der dummen Tankstelle ist. Hätt ich mich doch einfach nur umgedreht. Bis in 5 Minuten …

05:07

Er ist noch mit zu dir? Ich hoffe, ihr treibt noch was Dreckiges ;) Viel Spaß!

05:18

Von wegen ... er ist nach 5 Minuten eingeschlafen, schnarcht, und das einzig Dreckige in meinem Bett sind seine Füße.

05:13

Wollte mal fragen, wen meine Schwester als «Arrrrsch» in ihrem Handy abgespeichert hat? :)

05:15

Irgendwann werden Kühlschränke den Gegenangriff starten und alle zehn Minuten die Schlafzimmertür aufreißen, blöd starren und wieder gehen!

05:17

war total schön! sehen wir uns morgen wieder?

05:19

so schön war's nicht! das war kein orgasmus, hatte nur 'n krampf im fuß.

05:23

Ich finde es so schön, dass es immer noch Ehrlichkeit in der Welt gibt. Dass es wirklich möglich ist, dass sich jemand nicht wegen deiner D-Körbchen oder deinem Einstein-IQ in dich verliebt, sondern deswegen, weil du ihm Gummibärchen geschenkt hast.

05:23

Die erste U-Bahn ist die schönste U-Bahn

05:30

Ich mag Vodka-Red-Bull nicht. Das klebt im Gesicht und unter den Armen.

05:32

Ey, wenn du aufwachst, mach die Tür nicht kaputt! Wir haben dich extra im Gartenhaus eingeschlossen, damit du nicht abhaust.

05:36

Hallo, du hast mir gestern Abend in der Disco deine Nummer gegeben. Wäre nett, wenn du mir schreibst, wie du auf Facebook heißt, damit ich mich an dein Gesicht erinnern kann.

05:38

Was ich vorhab – stolzer Abgang. Was ich mache – gegen die Tür laufen.

05:42

Erkenntnis nach 3 Jahren Festivalabstinenz: Lasse nie Style, eher doch Praktisches dein Schicksal über Erfrierungs-/Überhitzungstod entscheiden.

05:45

Ich fass es nicht, dass du gerade einen wildfremden Kerl mit heim genommen hast, mit dem du vielleicht 5 min gelabert hast!

09:12

Alte! Das war A.! Es war ausgemacht, dass der heute bei uns pennt!

09:13

... aber bevor du enttäuscht bist, hab ich ihn trotzdem klargemacht ;)

05:47

Das ist 'ne Rund-SMS! Weiß irgendwer, wo ich bin?

05:55

Hey! Ich habe eben gemerkt, dass ich eure Türklinke in der Hosentasche hatte.

05:57

Kein Ding. Machen demnächst 'ne Übergabe.

05:56

Du darfst meinem Ex erzählen, ich hab die Trennung gewonnen, weil ich vor ihm einen abgeschleppt hab, der voll geil ist!

12:34

Du darfst ihm, falls er weint, sagen, dass der doch echt hässlich war.

05:59

Ich grüße Sie vom edlen Thron des Porzellanreiches!

06:00

Was macht denn deine Unterhose vor der Haustür?

06:02

Ach, jetzt weiß ich auch, wo meine Schuhe sind!

06:00

Sie heißt Peter???

06:05

Ja, eigentlich Petra, aber wenn man sie kennenlernt, versteht man, wieso sogar ihre Mutter sie Peter nennt.

06:00

Da wach ich mitten in der Nacht davon auf, dass einer neben mir schnarcht. Ich dreh mich, liegt neben mir ungefähr der heißeste Kerl, den Augsburg je gesehen hat. Ich schau an mir runter, ich bin voll angezogen. Und in meinem BH finde ich ’nen 5-Euroschein. Ich glaub, es war ein guter Abend :D

06:07

Hab geträumt, dass du die Schutzfolie von meinem Handy abgemacht hast. Ich bin dann voll ausgerastet und zum Hulk geworden :D

06:10

Oh Mann, mir geht's so scheiße, hab vors Bett gekotzt!

06:11

Deshalb weckst du mich auf, du Pfosten? Mann, es ist Sonntag! Warum stellst du keinen Eimer ans Bett?

06:14

Hatte ich doch, aber dann hat sich das Bett gedreht und ist an der Decke stehen geblieben und der Eimer ist nicht mit hoch gekommen.

06:13

Bin gerade auf dem Heimweg ... und was haben wir an diesem Abend gelernt? Keiner kann mir widersprechen: Es gibt keine männliche Art, um zu den «Spice Girls» zu tanzen ...

06:19

Scheiße, bin in der Bahn eingepennt und in Wedel aufgewacht.

08:52

Ohne Scheiß, ich bin schon wieder in Wedel! Ich komm nicht mehr nach Hause.

06:22

Der letzte Gedanke, den ich gestern hatte, war: Oh wie schön ist es doch, betrunken einzuschlafen. :) Der erste Gedanke, den ich heute früh hatte, war: Oh wie scheiße ist es doch, betrunken wieder aufzuwachen.

06:32

Wieso hast du dein Fahrrad hinter meinem Auto geparkt? Mir ist fast der Reifen geplatzt, als ich über das Ding rübergefahren bin!

06:39

ich würde dich lieben, aber meine ohren sind zu laut und meine hände zu betrunken.

06:44

Ich bin da, aber die Haustür nicht o_O

06:46 – 10:32

Die Laterne hat mich was gefragt

06:46

Ich glaube, man macht als Studentin alles richtig, wenn einem der One-Night-Stand sagt, dass die WG-Küche aufgeräumt werden sollte.

06:47

Was ist gestern passiert? Ich kann mich nur noch erinnern, dass wir gestern Abend in 'ner Bar waren, und jetzt wach ich in der Küche unter 'nem Tisch auf ... und das ist nicht meiner!

07:12

Also, du bist irgendwann auf dem Rücken von irgendeinem Kerl rausgeritten und hast ganz laut «Freibier!» geschrien. Mehr weiß ich auch nicht.

06:48

Hab verschlafen, komm 15 Minuten später! Sagste dem Chef, falls er kommen sollte?

06:52

Gut, dass du mich geweckt hast ... hätten wir heute Montag anstatt Sonntag, wäre ich dir wirklich dankbar gewesen!

07:02

Meine Weisheit des Morgens: Rülpse nie nach dem Feiern unter einem geschlossenen Visier.

07:07

Alter, ich frier mir die Eier ab!

07:08

So unterlasse er diese Gossensprache!

07:09

Ok, meine Genitalien frösteln …

07:09

Bist du betrunken oder wieso redest du vor meinem Fenster mit ’ner Laterne?

07:13

Nein, die Laterne hat mich was gefragt!

07:12

Mädchen vor mir läuft seit 10 Minuten die gleiche Strecke wie ich. Fühl mich wie ein Perverser.

07:15

Näher ran und laut atmen, kommt immer gut.

07:16

Soll ich dir über WhatsApp schreiben?

07:20

Du kannst auch hinter dem Sofa aufstehen und mit mir reden. Ich liege sozusagen über dir.

07:21

Verdammt. Habe heute Nacht ’nen megageilen Kerl kennengelernt. Hab weder Name noch Nummer, und er hat noch meine Jacke! :(

07:46

Also der Kerl heißt Bruno. Nummer und Jacke bringe ich dir gleich vorbei. Bist gestern wohl aufs Klo und nicht wiedergekommen.

08:01

Ich weiß schon, warum du meine beste Freundin bist ;)

07:21

Ich werde alt. Mein Kühlschrank ist schon wieder voller als ich.

07:30

An alle, die mir für 2013 die besten Wünsche gesendet haben – es hat nix gebracht. 2014 nehme ich dann Tankgutscheine!

07:31

Guten Morgen, ich stehe nie wieder so früh auf und werde nie wieder so früh durch die Stadt gehen. Es gibt Kinder und Jugendliche in der Stadt! Um die Uhrzeit kommen sie raus, in Scharen, wie die Graugnome bei Ronja Räubertochter ... ich hab Angst!

07:42

Ich glaube, ich habe gerade eine Mücke totgepinkelt ...

07:46

Alter, ich hab eben in dein Zimmer gelinst. Da liegt ein Kerl im Bett, wo bist du?!

07:51

Komm wieder rein, das bin ich. Hab gestern 'ne Wette verloren ... meine Haare liegen im Bad.

08:00

Ich sitz hier in Unterwäsche mit meinem Mathebuch im Bett, aber es lässt sich nicht bestechen!

08:06

Warum zum Teufel steht der Trockner plötzlich bei uns im Wohnzimmer??? War der nicht unten im Keller? Was haben wir nur wieder gemacht letzte Nacht?

08:18

Wir haben einen Trockner?!

08:06

Gott sei Dank, hab ich nicht geduscht! Bei Kaufland wäre ich damit Samstagmorgen sofort unangenehm aufgefallen.

08:09

Männer, wo glühen wir heute vor? :)

08:10

Guten Morgen Herr H., wir hoffen, es hat sich gestern gelohnt und Sie liegen nicht mehr betrunken in der Kneipe, sondern haben nur Ihren Zug verpasst. Können wir nach Hause gehen?
Ihr Englisch Grundkurs

08:10

Whoop! Whoop! Ich hab schon 1 Kilo abgenommen! :)

08:13

Hast du dir die Augenbrauen gezupft? :D

08:11

Ich hasse mein Studentenleben so sehr. Wieso kann ich nicht einfach eine reiche Hotelerbin sein, oder Azubi?

08:15

Meine neue Theorie ist, dass du nicht die wahre Bedeutung des Wortes «Überraschung» kennst, bis dir nicht jemand ohne Vorwarnung beim Sex einen Liter heißes Kerzenwachs auf den Rücken schüttet.

08:22

«Periodisch fremderregtes Mehrmassen-System» steht gerade an der Tafel.

08:22

Dicke, geile Menschen.

08:23

Mehr kann ich mir darunter auch nicht vorstellen.

08:26

Hey Schwester, wünsch dir einen schönen Urlaub. Wichtiger Tipp für dich und deine Mädels: Die «Pille danach» auf Spanisch: «pildora del dia después». Peace out bitches!

16:44

Du bist echt der beste große Bruder, den es gibt, aber vielleicht würde uns in Rimini das Ganze dann doch auf Italienisch etwas besser helfen ;)

08:27

je mehr käse, desto mehr löcher. je mehr löcher, desto weniger käse. je mehr käse, desto weniger käse!

08:32

M. du Penner! Wie kannst du es wagen, in die Küche zu kotzen und es nicht wegzumachen, sondern auch noch durchzulaufen?

09:05

Alter, chill mal. Woher willst du wissen, dass ich das war?

09:07

Die Fußspuren führen in DEIN Zimmer!

08:49
Ich hab hier einen Geldbeutel von dir liegen. Entweder ich bring dir den mit, oder du kommst den heute abholen.
08:51
Alter, ich penn bei dir im Gästezimmer.

08:51
Finde den Fehler im Text: Meine Bettgeschichte hat eine Überraschung für mich, die nichts mit Sex zu tun hat. Da wird ja sogar ein normaler Mensch stutzig!

09:00
Du Sack! Ich sag dir, ich komme wieder und dann wird einer von uns beiden ziemlich scheiße aussehen!
09:09
Das ist aber unfair, du hast voll den großen Vorsprung.

09:00
Oh Gott, bin eben aufgewacht, und was seh ich? Der Hund kaut auf meinem Vibrator rum! Fängt er jetzt an zu stottern? w w w w wau?

09:01

He, wenn du zur Uni willst, NIMM AUF KEINEN FALL DEIN FAHRRAD!

09:29

Scheiße, im Keller liegt 'n Besoffener und ist eingeschlossen? Der kuschelt mit meinem Rad?!!?

09:32

LASS JA DIE TÜR ZU, DAS IST EINER AUS GLADBACH!

09:01

Was ist gestern passiert?! Ich bin gerade in einem gestreiften Outfit mit einer Nummer drauf aufgewacht, und das Gitterbett meines kleinen Neffen stand umgedreht über mir! O_o

09:02

Das war wirklich super, ich wollte, wir wären verheiratet.

09:04

Aber das sind wir doch!

09:09

Ich meinte natürlich miteinander :-D

09:06

Ich wollte nur mal hören, wo du bist. Heute Morgen wachte ein anderes Mädchen in deinem Bett auf als du. Gruß Mama

09:08

Ich bin einfach zu schwach, um dem grenzenlosen Charme, den ein Busfahrer ausstrahlt, der dir in die Augen sieht, während du rennst, um ihn noch zu erreichen, nur um dann kurz vorher die Tür zu schließen und lächelnd abzufahren, nicht zu erliegen. Möchte ihn einfach ganz fest umarmen! Bis er nicht mehr atmet ...

09:10

Ha! Ich hatte heute Nacht Sex und bin somit nicht mehr die Letzte auf unserer Wer-hatte-wann-das-letzte-mal-Sex-Liste. Shaka!

09:15

Blöd gelaufen, Süße, denn mein Date blieb noch auf einen Morgen-Quickie ;-)

09:11

Ey Leute, wer von euch hat gestern Nacht die zwei Sektgläser mit meinen Kontaktlinsen, die im Bad standen, leergetrunken?

09:12

Oh Mann, das Mädel, von dem ich mich gestern hab abschleppen lassen – total schön, geile Nacht. Heut Morgen wach ich auf: Mädels-WG, alle top, sehen aus wie die WG aus dieser bebe-Werbung, alle am Smilen, eine sitzt nur in Hemd und Höschen mit uns in der Küche, Kaffee, Kühlschrank mit 2 Fächern nur Bier ... bin im Himmel!

11:13

Oookey, doch eher Hölle. Bin nach einer Weile nett, aber nachdrücklich gebeten worden zu gehen. Hab gesagt, ich lass meine Nummer da, darauf guckt sie in die Runde, alle grinsen, fragt laut: «Will von euch eine?» Alle so: «Nö», sie dann: «Gut, dann brauchen wir keine Nummer» und begleitet mich zur Tür. Küsschen und Tür zu. Wtf?!

13:29

Junge Junge, du hast offensichtlich Eindruck hinterlassen ... Komm her, gibt kalte Pizza und warmes Bier.

09:12

Hui, kann man sich eine Frau auch hässlich saufen?

09:14

Weiß nicht, aber ich würde auch keinen Grund dafür sehen, es zu tun. Warum?

09:22

Hab gestern eine aus dem Club mit heimgenommen. Ich war betrunken, ich hab mir die Hässlichste ausgesucht und gedacht, bei den anderen hab ich eh keinen Stich. Und heute Morgen wach ich auf, und die ist voll süß!

09:13

Hey, willst du nicht mal nach Hause kommen? Wo bist du?

09:19

Sind im Freibad, komme irgendwann! A. macht grade sein Seepferdchen, weil D. behauptet hat, er könnte nicht schwimmen. Außerdem ist es der einzige Ort, an dem es sonntags um 9 Uhr Bier gibt.

09:23

Schnegge, du hattest nur eine Aufgabe! Du solltest auf mich aufpassen! Du hättest mich sofort wegziehen, in einen Wagen setzen und ans andere Ende der Welt schaffen müssen. Du solltest mich nicht dazu animieren, nackt durch die Gegend zu rennen und zu rufen «I believe I can fly»!

09:26

Papa, ich bin auf der Arbeit! Hör auf, mich ständig anzurufen.

09:31

Mist, ich weiß nicht, wie die Waschmaschine angeht, und ich trau mich nicht, deine Mutter anzurufen ...

10:05

Oh Gott, lass Adoptiveltern vom Himmel fallen!

09:28

Du bist ein Schwein. Ich habe geträumt, dass du an unserer Hochzeit auf die Kaffeetafel onaniert hast. Ich bin völlig ausgeflippt, und alle anderen waren irgendwie nicht sonderlich geschockt und konnten meine Aufregung gar nicht nachvollziehen ... Ahhhh!

10:01

Die Leute waren vermutlich mehr darüber geschockt, dass wir heiraten ;-)

09:33

oh man. meine nachbarin ist 78. eine alte, biestige, konservative olle schachtel. aber irgendwie ist sie auch cool. gestern waren leute bei mir, und es lief von 17 uhr bis in die nacht laut metal. sie hat die bullen nicht gerufen, aber seit heut morgen 7:30 uhr läuft schreiend laut «wildecker herzbuben» bei ihr. hab kopfaua! auaua

09:36

Beim Anziehen der Socken auf die Bettkante setzen und das angewinkelte Knie gegen die Zahnbürste hauen. Deep throat mit Minzgeschmack.

09:39

Guten Morgen, bringst du heute Abend bitte den Trimmer mit? Ich seh aus, als hätte ich mir einen Dachs ins Gesicht geschnallt.

09:40

Noch 35 Minuten ... ich dreh durch!!! Wieso hab ich nicht mehr gelernt?!

09:46

Ich halt dir die Daumen! Mögen die Götter des Feierns, des Schlafens, der Faulheit und der Prokrastination vereint an deiner Seite stehen und deiner Seele gnädig sein.

09:42

Bin total geschreddert! Rum ist bööööse! Hab nackt auf der Ledercouch gepennt, und jetzt kleb ich fest. Hilfe!

09:56

Ich hol den Pfannenwender.

09:42

Hallo. Du bist einer der 17 Vollidioten, die meinen Spiegel im Bad mit ihrer Handynummer bekritzelt haben. Auch wenn ich dich Vollidiot genannt habe, möchte ich trotzdem wissen, ob du mir sagen kannst, was letzte Nacht passiert ist. Bei mir sind 6 Kaninchen in der Wohnung, und ich will wissen, wer das zur Hölle war!

09:43

Ist es komisch, wenn Graf Zahl mir im Traum erscheint, mich auf Holländisch anzählt und dann lachend in eine Schale Wackelpudding springt?

09:46

Nein, ich denke nicht. Du bist Künstler, du darfst das.

09:43

Boa Alter, hab ich 'nen Schädel! Danke, dass du mich da auf den Geburtstag mitgenommen hast. War anscheinend so voll, dass ich bei denen im Wohnwagen im Vorgarten gepennt habe. Bin immer noch so voll ... Die haben sogar schon das Zelt abgebaut und das Dixi weggeschafft, ohne dass ich was gemerkt habe. Hol mich mal bitte ab!

09:46

Die haben keinen Wohnwagen ...

09:48

Wo bin ich???

09:45

Alter, wer ist der Typ neben mir?

09:48

Die, ich zitiere, «Liiiiebööö deines Lebens!»

09:50

Mann, muss ich dicht gewesen sein o.O

09:47

Ich hab 'ne 2 im Test, Mama.

09:50

Uga seien stolz auf Ableger!

09:53
Mein wichtigstes Accessoire heute Morgen ist eine dezente Fahne.

10:00
Nein, unsere Vermieterin hat gestern angerufen, ich soll im Garten den Strom anstellen, weil die Hecke geschnitten werden soll. Hab das natürlich vercheckt, und jetzt haben die heute Morgen 30 Mal geklingelt, und ich hab immer noch nicht gepeilt, wer das ist, bis es mir eingefallen ist. Alter, da klopft die an mein Schlafzimmerfenster und schreit die ganze Zeit meinen Namen. Da konnte ich nicht mehr aufmachen!

10:05
Jetzt sitz ich hier im Dunkeln im Bad, weil hier das Rollo unten ist, geb keinen Mucks von mir und kann auch nix machen, weil die jetzt im Garten irgendwas machen und von irgendwo Strom bekommen haben. Keine Ahnung, aber das ist herbe scheiße für mich, ich muss jetzt so tun, als wäre ich nicht zu Hause.

10:00

Sitze im Büro, und wir plaudern darüber, dass früher alles besser war und die Jugend voll Assi wird.

10:02

Du bist doch selbst Assi :D

10:02

Ja, aber das wissen die hier nicht.

10:01

Hey, habe grad mal nachgeschaut, was für Bilder und Videos gestern wieder entstanden sind. Bin dabei auf ein sehr seltsames Video gestoßen :) Kannst du dich erinnern, dass ich dir mein Handy mit eingeschaltetem Kameralicht gegeben habe, damit du auf der Toilette was siehst, weil's Licht kaputt war?!

10:04

Hast du's gestern eigentlich noch in dein Zimmer geschafft?

12:32

Haha, hab mit dem Schlüssel das Schloss nicht mehr getroffen. Mein Vater hat dann irgendwann von innen die Tür aufgemacht. Hab salutiert und hab mich auf den Teppich gelegt :D

10:04

Guten Morgen, Eigentümerin meiner Lieblingsmumu <3

10:04

Schatz, ich weiß nicht, wie ich dir das sagen soll … Deine Mutter hat mir gestern an den Po gefasst … und zwar richtig. Wollte dir deine B-Day Party nicht vermiesen und hab es erst mal für mich behalten …

10:08

Ich weiß. Sie hatte ’ne Wette mit meiner Schwester verloren.

10:05

Sorry for kotzing in your einfahrt.

10:09

Was hast’n du gestern mit dem Mädel da gemacht?! Die wollte danach nicht mehr mit!

11:08

Ich hab sie davon überzeugt, dass sie zu betrunken ist, um das jetzt zu entscheiden. Außerdem, findest du das nicht bisschen abartig, in ’ner Ecke zu lungern und zu warten, bis die voll sind?

11:12

ALTER!

10:11

Ich finde ja Männer, die Ringe tragen, irgendwie sexy. Hab's gestern Abend gesehen. Aber bei dir passt das einfach nicht zum ganzen Rest vom Outfit, Brüderchen. Seit wann tust du so was?

10:14

Seit meine Freundin die auf meinem Nachttisch gefunden hat. Hab behauptet, das sind meine.

10:17

Hey ;) kannst du mir noch 3 T-Shirts, 4 Höschen und meine Sportsachen einpacken?

10:18

Also, bei deinen Höschen bin ich mir jetzt grad nicht so sicher, ob das nur Schnürsenkel oder wirklich Höschen in der Schublade da sind ...

10:17

Wo ist meine Cap hin, die ich gestern beim Feiern aufhatte?

10:58

Hm, ich hab gestern nur gesehen, dass du relativ viele Gullideckel angehoben und «Mützi, hast du dich etwa hier versteckt?» geschrien hast.

10:18

Hatte den schlechtesten Sex meines Lebens, mit einem Vegetarier! Zur Strafe habe ich mir zum Frühstück ein Mettbrötchen gewünscht! xD

10:18

Bist du alleine aufgewacht?

10:20

Weiß nicht. Kann mich nicht umdrehen.

10:20

Morgen, mein Schatz! Party war so schön mit dir!

10:21

Äh, wir sind nicht mehr zusammen. Gestern Nacht, weißt du noch?

10:23

Wollte mich grad verziehen. Wacht der auf und fragt, ob ich nicht zum Frühstück bleiben will. Jetzt sitz ich hier und nenn ihn Süßer. Wie hieß der Kerl?

10:26

Tim, meine Liebe. Er heißt Tim. Rettungsaktion?

12:02

Wir spielen «Zelda» und hören «Korn». Ich bleibe. Für immer :)

10:23
Hey. Wie geht's dir nach deinem Rollerunfall gestern? Sind die Wunden schon zu?
10:25
Welcher Unfall, ich steig immer so vom Roller ab!

10:23
Hey, ich erwarte Rückmeldung. Wie war denn nun gestern das Date mit ihm? Mehr so Kategorie Aldi, dm, Second-Hand und Wühltisch, oder mehr so Boutique, Ritz, Beautywellness und Edelsalon?
10:24
Mehr so Schlecker :)

10:28
Ich fahr grad zu Ikea. Brauchst was? Billy-Regal?
10:36
Muss da immer an Kondome denken. Das neueste Produkt von Ikea: Vårhøtung!

10:30

ja schatz :-*

10:32

ja-schatze mich nicht!

10:32

Unser Abend gestern war toll. Würde ihn gerne wiederholen :)

10:56

Und daaa gehen die Meinungen auseinander!

10:41–13:31

Sie schnarcht wie mein Kater

10:41
Warum hast du mich gestern um 6 Uhr angerufen?
10:43
Wussten nicht, wie der Herd funktioniert, und wollten wissen, ob man Nudeln auch anders machen kann.

10:41
Morgens im Bett mit einer Frau aufwachen, oki. Morgens im Bett mit einer Fremden aufwachen in einer fremden Wohnung, auch oki, aber: Wenn man die Person dann fragt, wo die Toilette ist, und sie dann sagt: «Weiß doch ich nicht, ich dachte, das sei deine Wohnung», dann läuft definitiv einiges verkehrt o.O

10:43
Hör mal, ich weiß, dass wir uns getrennt haben und jetzt erst mal Funkstille sein sollte, aber ... kann es sein, dass du damals die ... speziellen Fotos, die wir von uns mit der Kamera meines Vaters gemacht haben, nie gelöscht hast?! Meine Eltern sind heute unterwegs zum Wanderurlaub ...
11:09
Äh ... scheiße.

10:44

Error. Es ist ein Fehler aufgetreten. Die Verbindung ist wegen VERSCHISSEN unterbrochen. Bitte schleimen Sie sich erneut ein. Bei wiederholtem Nicht-Funktionieren der zwischenmenschlichen Kommunikation fahren Sie das System herunter und lecken Sie sich am Arsch.

10:45

Hey, hier ist die, die heut Nacht bei dir gepennt hat. Wenn du dich heute noch an meinen Namen erinnern kannst, können wir das gerne wiederholen. Als Hilfestellung hab ich dir 12 Post-its mit je einem Buchstaben drauf an den Spiegel geklebt. Mein Name besteht aus 6 Buchstaben. Viel Glück!

10:46

Habe eine Lacoste-Uhr gefunden! Und die passt zu meinem Outfit :-) Direkt vor der Tür auf der Straße. Sieht teuer aus ... echtes Leder und in Silber :-)

10:54

Hab grad gesehen, dass es wohl doch keine Lacoste ist. Das Krokodil hat weiße Punkte und ein Gesicht. Es ist, glaube ich, eine Kinderuhr ...

10:48

alter meine haare sehen aus ... ich hab mit dutt geschlafen :D

10:54

wer ist dutt?

10:59

Ich kann mich nicht konzentrieren! Neben mir steht ein großes hellblaues Buch, das wohl «Methodenbuch» heißt. Aber der clevere Bibliotheksmitarbeiter hat mit seinem Signatursticker genau das «Met» überklebt.

10:59

Ähem, als meine beste Freundin verdienst du, dass ich's dir persönlich sage. Ich bin gestern mit deinem kleinen Bruder im Bett gelandet. Er hat mir erzählt, wie lange er schon alleine ist und wie sehr er sich nach etwas Nähe sehnt ... Da tat er mir so leid, und dann ist es irgendwie passiert ... Sorry, bist du sehr böse?

11:13

Mist! Jetzt schulde ich ihm 20 Mäuse.

11:00

Warst du nicht diejenige, die sagte: «Jungs sind wie Taschentücher, einmal benutzen und dann wegwerfen»?

11:02

Er ist ein Stofftaschentuch, also …

11:01

Anscheinend bin ich gestern über das Dach bei meiner Nachbarin eingebrochen, hab ihre Kippen geklaut und wohl als Entschädigung 30 Mini-Snickers bei ihr im Flur verteilt. Weißt du, wo ich die Snickers herhatte?

11:03

Hi du. Du siehst toll aus. Hab dich gestern auf der Party gesehen, und M. hat mir deine Nummer gegeben. Ich bin übrigens erfolgreicher Banker. Was machst du so?

11:05

Gerade überlege ich, ob es sich für mich lohnt aufzustehen, die Psychologiebücher herauszuholen und nachzuschauen, welches Problem du haben könntest. Aber die Faulheit siegt doch.

11:07
Herr K., beschreiben Sie ihren gestrigen Abend ohne die Worte: betrunken, saufen, peinlich, kaputt und Filmriss.
11:57
Lieber Herr L., am gestrigen Abend zwischen 21 und dem heutigen Morgen um 6 Uhr, gelang es B. und mir, uns des Schamgefühls zu entledigen. Hierfür haben wir große Mengen gebrannter Flüssigkeiten zu uns genommen. Die Folge daraus war ein unkontrolliertes RTL2-Niveau. Hierfür möchte ich mich förmlichst entschuldigen.

11:09
«Entschuldigung, aber ich glaube, wir müssen mal miteinander schlafen» – saugeiler Spruch :D
11:41
Wer hat das gesagt?
11:42
Du!

11:10
junge u ich kann Duo einen skalationsplsn !
11:17
Willkommen bei unserer heutigen Ausgabe von: «Was möchte T. uns sagen?» Ist es a) «Ich kann doch kommen», b) «Ich kann ein Duo» oder c) «Ich habe einen Eskalationsplan»?

11:11

Wir reden später mal unter zwei Augen oder so, wieso, weshalb, warum ...

11:11

Ok ... unter zwei Augen ... jeder hält sich eins zu ;)

11:14

Wer von euch hat bitte die Kopfschmerzen erfunden? :-(

11:20

Der Kopfschmerz wurde von August Otto Kopfschmerz im Jahre 1860 erfunden. Daher auch der Name.

11:22

Welcher Idiot hat mir ein Steak in die Schublade gelegt???

11:26

Lange Geschichte!

11:27

Hi Schatz, ich hab eine Bitte an dich: Ich brauche bis 12 Uhr vier Wörter, die sich auf «Pups» reimen. «Mups» hab ich schon, das zählt nicht. Ich danke dir!

11:28

Gehen wir halt zu zweit spät.

11:29

Ok ... Spät heißt was?

11:30

Das heißt nichts. Mein Handy war lediglich der Meinung, dass dieses Wort in der SMS enthalten sein sollte. Es ist sehr stur, hatte keine Lust auf Streit.

11:31

Alter, ich geh nie wieder auf 'ne Halloween-Party, um eine abzuschleppen ... Bin grad aufgewacht und hab gemerkt, dass die Alte quasi gar nicht verkleidet war! Hättest ruhig was sagen können!

11:34

Ey, wenn Leute nicht merken, dass sie mal gehen sollen. Der kocht sich jetzt Eier. Ich raste gleich aus.

11:36

Grad auf dem Weg zur Vorlesung war meine Playlist im iPod auf «zufällig»: Europe «The final Countdown» ... Rammstein «Keine Lust» ... HIM «Join me in Death» und zum Schluss «Another Brick in the Wall». Alles direkt nacheinander! Ist das jetzt ein Zeichen des Universums an mich?

11:37

Sorry, aber könntest du eventuell mit'm Zug heimfahren? Bin abgeschleppt worden und muss erst mal mein Auto wieder organisieren.

11:42

Haha, du auch? Ich auch! Muss auch erst wieder ins Wohnheim kommen, alles sehr verwirrend.

11:45

Nee, ich bin nicht abgeschleppt worden, sondern mein Auto :-/

11:37

Die Büsche neben dem Gleis machen 'ne Laola-Welle, wenn ich vorbeifahre. Ach, ich bin so toll!

11:38
An alle, die gestern auf meiner Party meine Vollkornkekse mochten und mich nach dem Rezept gefragt haben: Die kaufe ich im 10-kg-Sack für 4,99 € bei Fressnapf.

11:41
Bin in der Bibliothek am Lernen. Vor mir sitzt ein alter bärtiger Mann und schnarcht. So typisch Student.
11:47
Ok, musste mich erst mal umdrehen, ob du nicht hinter mir sitzt :D

11:43
Hallo, ich fand es toll, dich gestern kennengelernt zu haben. Hab deine Nummer von M. Ich hoffe, du kannst dich noch an mich erinnern? Ich war die mit dem Pony!
11:47
Wo war da ein Pony?

11:43
Ich bin immer noch im Arsch. Du musst meine Nummer löschen. Diese ewigen Eskalationen sind nicht gut. Ich will ab jetzt ein solides und ehrbares Leben führen! Zumindest bis zur Wiesn.

11:48

Solltest du heute Nacht entführt worden sein, schicke bitte die 1. Solltest du betrunken in einem fremden Schlafzimmer aufgewacht sein und abgeholt werden wollen, schicke bitte die 2. Sollte ein nackter Vodafone-Mitarbeiter neben dir liegen, schicke bitte die 3 oder das Kennwort «100 gelbe Bananen» :)

11:59

100 gelbe Bananen!

12:01

Sie haben 15 rote Äpfel gewählt. Die Bestellung wird Ihnen innerhalb der nächsten 3 Werktage zugestellt. Wir bedanken uns bei Ihnen. Mit freundlichen Grüßen, Ihre unglaublich neugierige Freundin, die du sofort anrufen musst, wenn die Bananen weg sind.

11:50

Komme gerade vom Friseur. Erschieß mich.

11:53

Kimberly hat um 11:01 Uhr das Licht der Welt erblickt. Eine süße Maus! :-) :-)

11:54

Ja, herzlichen Glückwunsch! Alles Gute für Mutter und Kind. Aber wer bist du?

11:57

Hi Schatz! Hab gestern Nacht beschlossen, dich nächstes Wochenende auf einen Kurztrip einzuladen! Lass dir mal was Nettes einfallen. Im Puff kommen mir einfach immer die besten Ideen ;)

11:59

Im Suff! Im Suff!!!

11:59

R. kommt gleich, und ich trage nur Unterwäsche und eine Frisur, mit der ich auch als Monster unterm Bett arbeiten könnte.

12:00

Habe gerade dein Auto sauber gemacht! Du hast so komische Flecken auf dem Sitz ... kann man da DNA finden? Gruß Papa

12:01

Hi M., also S. und ich haben uns für jemand anderen entschieden. Eigentlich fanden wir dich am lässigsten, aber ich fand dich einfach 'ne Spur zu heiß für 'ne Mitbewohnerin! Hört sich bescheuert an. Ich hoffe, du nimmst es uns nicht übel. Grüße, D.

12:43

Ihr habt mich noch nicht im Schlafanzug gesehen!

12:02

Also jetzt, wo ich total nüchtern bin, finde ich, du hast dich mit meinen Haaren selbst übertroffen. Du solltest mir besoffen immer die Haare schneiden :*

12:03

Oh Mann, war das 'ne Nacht! Hab 'nen völligen Filmriss! Das Einzige, woran ich mich erinnern kann, ist, dass du mit 5 Euro zum Klomann gegangen bist, ihn in den Arm genommen und gesagt hast: «Danke, dass Sie die Klos sauber machen. Das ist sooo lieb!» :D

12:04

Ich liebe Männer-WGs unserer Generation! Die haben sogar ein Glätteisen da, wenn man sich als Frau am nächsten Morgen die Haare glätten will.

12:05

Ich weiß nicht, was die Lösung ist und wie ich reagieren soll :/

12:11

Die Lösung?! Die verdammte Lösung ist, dass er die Wäscheklammer von den Eiern nimmt und zu dem steht, was er fühlt!

12:07
Also, ich habe jetzt noch mal dieses «Ich-liebe-dich»-Ding recherchiert: Man sagt das nach ca. einem Monat.

12:10
Starker Abend gestern! Hab meinen Perso nicht mehr gefunden und dafür dem Türsteher mein Handy hingehalten und es angemacht, sodass es leuchtet! Ich bin reingekommen ... und dann weiß ich nichts mehr.

12:12
Ey, hab dich gestern im Club gesehen. War die Olle, mit der du da rumgemacht hast, deine neue Freundin?
12:25
Kommt drauf an, wann du mich gesehen hast ...

12:15
Die Nacht hinterlässt weiterhin merklich ihre Spuren ... Eifrig versucht, mit dem Führerschein an der Tanke zu bezahlen. Wirkte anscheinend sehr solide dabei.

12:16

Das nenne ich doch mal einen gelungenen Betriebsausflug! :-)

12:20

Du hast den Auszubildenden gevögelt?!

12:26

Jap! Und als er wach wurde, sagte er, er will nie wieder mit 'ner Frau schlafen, die nicht mindestens 10 Jahre älter ist als er. Ich habe ganze Arbeit geleistet. Gratuliere mir!

12:17

Huhu, dauert noch etwas. Sitze immer noch im Wartezimmer bei der Frauenärztin. Neben mir sitzt inzwischen 'ne Nonne. Verdammte Hacke, so viel Disziplin hätte ich mal gebraucht!

12:17

Willst du deinen Sohn noch retten, schick ihm Geld und Zigaretten :)

12:45

Sei ein braver Sohn, lass dich nicht lumpen und hör auf, deinen Vater anzupumpen :-)

12:22

Ey, hast du Korn in meine Milch gekippt? Hab vorhin fast gekotzt!

12:31

Hahaha, nein! Das war B. Er hat gesagt: «T. wird sich wundern, wenn der morgen KORNflakes frühstückt!»

12:26

Sry, ich hab dich heute Nacht aus Versehen ein bisschen gehauen. Hab mich aber mit Streicheln entschuldigt ... Ich dachte, du wärst eine Tür, wo man klopfen kann XD

12:26

Hallo, ich kann morgen leider nicht zum Firmunterricht kommen. André

13:34

André, da hast du, glaub ich, eine falsche Nummer. Und du kommst in die Hölle :-)

12:28

Man muss echt Talent haben, um auf 'nem Stuhl einzuschlafen.

12:31

Nein, Talent ist es, sich so zu besaufen, dass man während man aufm Stuhl schläft, so runterfällt, dass man sich die Nase an der Tischkante bricht, seine Nachbarn um halb drei ausm Bett klingelt und dann schreit: «Meine Nase bringt Erdbeermarmelade zur Welt!»

12:30

Ich habe gehört, du warst gestern aufm Schützenfest?!

12:39

Verdammt, das habe ich jetzt auch schon mehrmals gehört.

12:31

Oh Mann, das ist hier wie Tabu spielen ... Wie erklär ich meiner 11-jährigen Schwester, dass das Mädel, das gestern bei mir gepennt hat, nicht meine neue Freundin ist? Ohne sie völlig zu desillusionieren und ohne die Begriffe «One-Night-Stand» oder «zwangloses Rumgebumse» zu benutzen?

13:17

Runde 2 ... wie erklär ich das dem Mädel, das gestern bei mir gepennt hat?

12:31
Habe heute einer Kommilitonin die Tür aufgehalten – musste mir daraufhin einen 5-Minuten-Vortrag über Sexismus anhören. Hab Ihr anschließend noch einen Klapps auf den Hintern gegeben, dass wenigstens die letzten Minuten nicht umsonst waren.

12:33
Neue Mitbewohnerin gevögelt – check!
12:34
Ich hab gedacht, du machst so was nicht mehr.
12:36
Ich weiß :-/ aber sie ist quasi auf mich draufgefallen. Wie lieb! Sie schnarcht wie mein Kater, ich glaub, ich muss sie behalten!

12:35
Ich liebe dich <3
12:37
Ich Dickbauch über alles <3

12:36

ich hatte die ganze klausur über seinen penis und die brennende bettdecke vor augen. und ich musste die ganze zeit grinsen. :D konzentration = null.

12:40

Ich hätte entführt, vergewaltigt und verprügelt worden sein können, und du fragst nicht mal, wo ich geblieben bin? Das ist echt enttäuschend!

12:52

Du hast ein Kondom von mir gekriegt, ich hab getan, was ich konnte.

12:40

Schreib mir mal irgendwas.

12:41

Arschfick.

12:42

Danke, wollte grad meiner Mutter zeigen, wie WhatsApp funktioniert.

12:40

Rate mal, wer mir gerade geschrieben hat?!

12:43

Johannes? Jörg? Tim? Nick? Brian? Marcus? Markus? Pedro? Tom? Stefan?

12:43

Du hast gesagt, sie ist nicht deine feste Freundin!

12:46

Na und?! Deshalb ist sie noch lange nicht vogelfrei!

12:45

Komme später zu deiner Geburtstagsparty. Sitze gerade beim Zahnarzt.

13:06

Ok, aber wieso sitzt du beim Zahnarzt?

14:45

War in meinem Abstellraum was suchen, musste wegen dem Staub niesen, hab mich am Regal abgestützt, das nach hinten gekippt ist, dadurch ist eine Kiste runtergefallen, die ich aufheben wollte, und in dem Moment ist mein alter Basketball von ganz oben mir auf den Kopf gefallen, und hab in das zweite Regalbrett «gebissen».

12:50

Aaalter, war der Urlaub geil oder was???

12:53

Ach laber nich, wer sich erinnert, war nich dabei!

12:52

Oh Gott, wenn ich diesen Kater nicht überleben sollte – ich hab dich immer geliebt und so'n Scheiß. Wir sehn uns drüben ...

12:52

Ohne Scheiß, hier sitzt einer in meiner Vorlesung, der genauso aussieht wie B. Verdammt, warum hab ich bloß eine Beziehung!

12:54

Ich zum Glück nicht. Mach ihn mal klar! Nummer + Name, aber flott!

13:54

Okay ... in mir ist gerade etwas gestorben. Ich geh raus, will gerade einen Frontalangriff machen und dann ... knutscht der seinen Kumpel! Ich will nicht mehr.

12:52

Guten Morgen :)

12:53

Wow, woher wusstest du, dass ich gerade aufgewacht bin? XD Ist ja krass XD

12:54

Mein Penis hat geleuchtet :)

12:54

Könntest du bitte Essig (und eventuell Mehl) mitbringen?

12:56

Was soll das werden? Crack?

12:56

Ich habe gerade mein Gesicht aufm Bettlaken wiedergefunden :D

12:58

Django Unchained!

13:01

Kater Unchained!

13:19

Mitgefühl Unchained!

12:58

Frühaufstehen ist eine Lüge des Kapitalismus.

13:02

Mein Gott! Ich bin verliebt!

13:06

Wie heißt er?

13:10

14 cm Absatz und besetzt mit schwarzen Glitzersteinen ;)

13:03

Alter, braucht dein Vater noch Maschinen fürs Haus?

13:06

Was da los?

13:15

Alles verwirrend, anscheinend war ich gestern so voll und hab anstatt 'ner Kartenmischmaschine einen Betonmischer bei ebay ersteigert.

13:15

Neben mir am Bahnhof hat gerade ein Sechstklässler seinem Freund eine Plakatwerbung vorgelesen und dachte, das I und V in HIV steht für römisch vier. Lektion des Tages. Kondome schützen vor Hartz 4!

13:16

Aber was wäre denn dann die Alternativoption zu weiterlaufen lassen und abwarten?

13:17

Na, im Endeffekt gibt's ja keine Alternative, die «besser» wäre ... Die schlechtere Alternative: sinnlos Schluss machen, sich miserabel fühlen, auf den Traumprinzen warten, Katzen kaufen und von ihnen nach dem Tod aufgegessen werden.

13:20

Ich bin nackt aufgewacht mit 'ner Hawaiikette um den Hals. Irgendwas hab ich richtig gemacht :-D

13:22

Er war so süß! Meine Größe, sehr schlank, braungebrannt, dunkle Haare mit blonden Strähnen. Und der verführerischste Hundeblick, den ich je gesehen hab :) Ich werd noch wahnsinnig! Könnte bis nach Worms laufen, grad nur, um ihn zu suchen ...

13:51

Klingt eher nach 'nem übergroßen Golden Retriever als nach 'nem Kerl.

13:24

Ey, heute Morgen hätte ich so ein Vögelchen aus der Wanduhr spielen können. Bin ab 6 Uhr jede Stunde wach geworden, hab mich aufgerichtet, gemerkt, dass sich noch alles dreht, gestöhnt und wieder hingelegt.

13:28

Juhu, F. liegt neben mir!

13:36

Ich weiß zwar weder, wer du bist, noch wer F. ist, aber offensichtlich ist heute dein Glückstag, deshalb: Glückwunsch. Schreib jetzt dem richtigen Kumpel, damit auch er sich an dieser glückseligen Nachricht erfreuen kann ;) Ich wünsche einen angenehmen Dienstag!

13:29

Alter, was ein Abend! Ich hab Muskelkater in der Zunge!

13:29

Waaas? Ich ruf an, und es ist besetzt? Hast du heimlich andere Freunde?

13:31

Krass. Ich hab eben die letzte Matheklausur meines Lebens geschrieben.

14:11

Scheiß auf die Liebe. Das muss das schönste Gefühl der Welt sein!

13:33 – 16:23

Ist der da ein One-Night-Stand oder bekommt er Kaffee?

13:33

Meine Ex hat gestern Nacht in der Disco jedem betrunkenen Kerl, der es auf sie abgesehen hatte, die Telefonnummer gegeben. Und zwar meine. Heute Morgen hab ich nicht weniger als 12 SMS gehabt, im Laufe des Vormittags noch mal 6. Bis ich durch den einen Typen rausbekommen hab, was da los ist, hat's schon gedauert.

13:50

Shit, die dumme Kuh. Was machst du jetzt? Neue Nummer oder was?

13:53

Nö. Ich hab, als ich gerafft hab, was da los ist, jedem von den Kerlen geschrieben: «Sorry, auf dieser Karte hab ich kein Guthaben mehr, meine andere Nummer ist xxxxxxx» – mit ihrer Nummer.

13:34

Das ist, als hättest du deine Brieftasche neben 'nem Penner abgelegt und beschwerst dich später, dass er das Geld genommen hat.

13:40

Ein Penner lebt in einer sozialen Notlage, in der es um seine Existenz geht. Dein Penis ist eine verwöhnte reiche Göre, die den Hals nicht voll-kriegt ;)

13:34

Die Küche ist feuertauglich, aber deine Topflappen wohl eher nicht ...

13:36

Steht die Küche noch? Wie geht es den Tieren?

13:40

Mir geht's gut. Danke

13:35

Geh schwänze Kirschen, ich muss spülen und aufräumen, wenn wir heute bei mir vorglühn.

13:36

Boa, T9 macht voll einen auf FSK16!

13:37

Ich gehe jetzt ohne Unterwäsche zum Dönermann und fühle mich dabei ganz verrucht, obwohl es ja keiner weiß ;)

13:41

Ach Süße, bist du etwa eifersüchtig?

13:58

Ich? Eifersüchtig? HAHAHAHAHAHAHAHAHAHAHAHAHAHAHA! Ja.

13:42
Muskelkater des Todes meets Kater der Verdammnis at Ruine meines Körpers.

13:44
So, ich geh was für meinen Körper tun!
13:45
Cool, wollt auch grad joggen :)
13:46
Joggen? Wer redet von Joggen? Ich geh jetzt essen!

13:45
Mittagsschlaf ist erledigt, jetzt gibt's Essen.
15:07
Bin ich Twitter?!

13:46
Ich will ausziehen! Hab mir gestern Abend 'nen Kerl mit heim genommen. Heute Morgen klopft meine Ma an die Tür und ruft: «Ich mach Frühstück, ist der Typ da ein One-Night-Stand oder bekommt der 'nen Kaffee?» Ich knallrot, er ruft zurück: «Ich glaub, ich hab Kaffee verdient, vielen Dank!» Und später in der Küche verstehen die sich prächtig.

13:47

Boah, ich bin elektrisch aufgeladen! Ich krieg jedes Mal eine gewischt, wenn ich was anfasse.

14:04

Das geht dir doch am Wochenende auch jeden Abend so.

13:50

Hatte gerade einen interessanten Anruf von deiner Freundin. Kleine Lebenshilfe: Bei Facebook immer schön abmelden, Telefonate morgens um 4 Uhr in geschlossenen Räumen führen und das Handy immer über eine PIN sperren. Dann bleiben auch ungewollte Nebenwirkungen nach Fremdknutschen aus. LG

13:58

Dir ist bewusst, dass die Worte «Ich hasse meinen nuttigen Mitbewohner» aus deinem Mund nicht mehr so authentisch klingen, nachdem du jetzt bereits drei Mal mit ihm geschlafen hast?

14:00

Ich sitz hupend auf dem sofa :(

14:03

Ob ich den beiden sagen soll, dass ihr Bett quietscht?

14:05

Mach doch!

14:08

Hm, lieber nicht, sonst sagen die mir noch, dass mein Dildo brummt.

14:05

Weiß noch nicht, ob ich das mit Sauna heute Abend schaffe. Du bringst nicht zufällig ein paar hübsche Mädels mit?

14:07

Ich komme mit Tara und Elise.

14:08

Ein einfaches «Nein» hätte genügt.

14:07

Dein Bruder ist jetzt stolzer Neufahrradbesitzer, hat aus 4 Modellen gewählt, mit Nabenschaltung und Nabendynamo aus Deutschlands größtem Fahrradladen! VlG Papa

15:15

Hört sich ja super an, liebe Grüße an alle.

19:02

Also noch mal: Dein Bruder hat heute Geburtstag ...

14:07

Wie bist du gestern nach Hause gekommen?

14:10

Moment, ich rekapituliere. Meine Hose ist noch heile und meine Knie tun mir nicht weh. Also kann ich nicht gekrochen sein.

14:11

So, ab heut muss ich die Pille selbst bezahlen. Das heißt, gewisse Aktivitäten sind jetzt gebührenpflichtig ;)

14:17

Hm ... rechnen wir da jetzt 'nen Pauschalbetrag pro Leistungsempfang ab oder bietest du 'n Flatrate-Angebot an? Gibt's 'ne Möglichkeit auf Langzeitkundenrabatt?

14:12

Du hast gestern der Dusche gesagt, sie soll aufhören zu weinen :D

14:14

Kann ich mal dein Auto?

14:15

Da fehlt ein Verb ;)

14:23

BITTE!

14:21

Also, ich hab's dann gestern von der Burg doch nicht mehr nach Hause geschafft, sondern nur noch zu den Eltern einer jungen Dame bzw. dem Zimmer der jungen Dame bei ihren Eltern.

14:22

Und, was gelaufen? ;)

14:23

Ja, sind grad aufgestanden, haben gefrühstückt und müssen jetzt erst mal helfen, ein paar Kühe einzufangen, die sind ausgebüchst. Muss los, schnaufende Milchtüten jagen …

14:25

Hey, deine neue Mitbewohnerin ist ja ein Knaller. Der kleine blonde Engel mit den Locken. Die ist vielleicht noch ein bissel klein und unschuldig, Erstsemester halt, aber du solltest dennoch mal unbedingt für deinen besten Kumpel herausbekommen, ob die solo ist bitte.

14:31

Jaa, Engel. Unschuldig. Also, sie hat zwei Freunde, und sie hat mir beide vorgestellt mit den Worten «Das ist mein Freund». Der eine ist mindestens Mitte 30 und sieht aus wie ein Banker, der andere ist Typ Motorrad-Rocker mit Haudrauf-Attitüde, und die wissen wohl beide nicht voneinander … und ihr Blick sagte «psssst» …!

14:30

Sitz grad bei der Prüfung und piss mich gleich an!

14:32

Wie kannst du bitte bei der Prüfung am Handy schreiben?

14:33

Wie kannst du bitte ohne Handy eine Prüfung schreiben???

14:31

Hab doch bitte mehr als drei Sekunden Geduld, wenn ich schon nur wegen deines «Naa, was treibst du so»-Anrufes aus der Dusche sprinte und mein Wohnzimmer in das achte Weltmeer verwandle, nur um das Echo deines Atems und «tut-tut» zu hören.

14:31

Mein Leben ist doch echt fürn Arsch. Da liege ich am Ostermontag neben einem Brecheimer.

14:34

Schau mal rein, vielleicht sind ja ein paar Eier drin.

14:31

Hoffentlich ist der neue Chef nicht so inkontinent wie sein Vorgänger ...

14:34

Du solltest noch mal nachschauen, ob das wirklich bedeutet, was du denkst.

14:32

Immer treff ich so komische Leute. Ein Mann vor mir am Automat hat mit sich selbst geredet.

15:25

Hört sich nach jemandem an, mit dem du schläfst.

15:45

Witzig, das Gleiche dacht ich mir auch grad :)

14:34

der kerl neben mir im bus ist soooo heiß!

14:34

wie sieht er aus?

14:35

ziemlich wütend, weil er gemerkt hat, dass ich versucht habe, ihn zu fotografieren.

14:34

Maaann, mir ist so langweilig. Wie ist Chemie so?

14:37

Iod-Kohlenstoff-Wasserstoff Lithium-Beryllium Dysprosium-Kohlenstoff-Wasserstoff Schwefel-Sauerstoff Selen-Wasserstoff-Argon Schwefel-Tellur-Kohlenstoff-Wasserstoff-Erbium (die jeweiligen Abkürzungen ergeben 'nen Satz). Jetzt hast was zu tun :D Viel Spaß beim Googlen!

14:34

Ich liebe es, auf der Straße Müll zu finden, den wir da hinterlassen haben. Da fühl ich mich gleich at home! :D

14:36

Vermisse: Rucksack, Jacke, Handy, Portemonnaie, Strohhut, Personalausweis.

14:38

Hast du eigentlich dein Handy wieder?

14:42

Nein. Ich schreib dir die ganze Zeit mit meiner Mikrowelle ...

14:42
Von wem waren die 5 Euro, die ich gestern gegessen habe?

14:46
Ich war grad in der Drogerie, um Kondome zu kaufen, such so welche aus, die mich nicht verarmen, und geh zur Kasse. Die Frau an der Kasse guckt die Kondome an, guckt sich um, ob wir allein sind, und sagt dann: «Die sind voll gut! Mein Mann und ich benutzen die immer ... auf solchen ... Feiern.»

14:49
Manchmal wünschte ich, mein Sexleben wäre genauso aktiv, wie mein kaputtes Bett es vermuten lässt.

14:50
Meine Oma gibt gerade mit mir vor ihren Bekannten an. Ich bin ganz lieb, konsumiere keine illegalen Substanzen, trinke nicht, und ich rauche auch nicht. Ich dachte nur: «Wenn du wüsstest!» :D

14:50

Ich hatte schon seit Ewigkeiten keinen Orgasmus mehr. Und R. denkt jetzt, er würde es voll nicht bringen ...

14:51

Dann täusche doch vor! Ist er wieder glücklich und zufrieden!

14:53

Nein, das sehe ich voll nicht ein! Das wäre ja so, als wenn ich 'nen Hund dafür lobe, ins Wohnzimmer gekackt zu haben. Dann lernt er es ja nie!

14:54

Mir wurde grad vom Verkäufer der Gemüseabteilung eine Tomate angeboten und ein Lächeln. In der Fleischabteilung ein «Hallo» und ein tiefer Blick in die Augen, und in der Käseabteilung wurden Blicke getauscht, obwohl er im Kundengespräch war. Haha, was ist heute los?!

15:14

Haha, es ist wohl die Verkäuferbrunftzeit, und sie röhren aus ihren Regalen.

15:02

Habe gerade meinen Praktikumsbericht abgegeben, ich bin also nun offiziell nicht mehr deine Praktikantin, volljährig bin ich auch, du darfst also jetzt mit mir schlafen wollen.

15:02

Weißt du eigentlich, wie schwer so ein Pinguinleben ist? Überleg mal ... du streitest dich und willst total sauer davonstampfen, aber weil du ein Pinguin bist, kannst du nur so unglaublich süß davonwatscheln!

15:02

Salzburg? Ist das nicht Österreich?

15:06

Ich hab keine Ahnung, Mann!

15:14

Da wären wir wieder bei Geometrie :D

15:07

Ich hab übrigens für ca. 80 € Pfand im Kofferraum ...

15:07

Dann bring das Pfand weg und tu das Geld ins Haushaltsportemonnaie.

15:08

Eigentlich wollte ich dich nur darauf aufmerksam machen und nichts dran ändern.

15:07

Du, das Scheibenwischwasser war leer, und von den Straßen wurde so viel Dreck hochgewirbelt, dass wir nichts mehr sehen konnten. Wir hatten kein Wasser dabei, also haben wir eine Flasche Sekt geopfert. Könntest du eine neue kaufen und die M. mitgeben? Sie kommt erst morgen nach. Hab dich lieb :)

15:13

Wenn du 1,98 m groß bist, wieso spielst du dann nicht Basketball? :D

17:19

Weil nicht jeder, der groß ist, Basketball spielt. Jeder, der klein ist, versteckt auch nicht Töpfe mit Gold.

15:14

Mist, sie hat ihren Gürtel hier «vergessen», und ich glaube zu sehr an das Schlechte in der Frau, als dass das ein Zufall sein kann. Verdammt!

15:15

Ich werde Gärtner. Zeichne gerade das hundertste Baumdiagramm.

15:17

Nachdem, was ich gerade tu, werd ich wohl Faultier.

15:17

Das eben war die erste 100%ig nette SMS von dir!

15:39

Du hast nur die Ironie nicht verstanden ...

15:18

Schläfst du auch noch mit mir, wenn ich alt und schrumpelig bin?

15:19

Über so was denke ich nicht nach ... das ist ja ... bäh :D

15:21

Sag einfach nein. Ich brauch 'ne Motivation, meinen Arsch zum Sport zu bewegen.

15:19

Ich brauche neue Feinde. Die alten beginnen mich zu mögen und schicken mir Freundschaftsanfragen bei Facebook.

15:24

Ich hab geschafft, dass im Ofen was anbrennt, ohne dass was drin ist! Das ist eine Superkraft, oder?

15:34

Was hätte ich, wenn wir noch zusammen gewesen wären, eigentlich zu Weihnachten bekommen?

15:38

Kennste das, wenn du einfach nur aufstehst, weil du Angst hast, dass du sonst 'ne Thrombose kriegst?

15:41

Machst du heute Crêpes?

15:41

Hast du nicht was vergessen?

15:49

Herzlichen Glückwunsch zum Geb., machst du Crêpes?

15:48

Nee, getroffen hab ich mich nicht mit ihm, Maus.

15:49

Also, kann ich mich mit ihm treffen?

15:52

Ach darum geht's? Klar, ist noch unbenutzt.

15:50

Ich bin ein sich durch Matheforen lesendes, bananenfressendes, dich vermissendes Monster.

15:50

Schatz, der Schuhschrank soll wirklich 1,20 m breit und 2 m hoch sein? Soll ich den wirklich bauen? Ist ja riesig ...

16:01

Genau das ist der Plan! Bau schnell!!!

15:50

Ich liebe dich von ganzen Herzen <3

15:51

GanzeM Herzen ... Das ist ein Dativ-Objekt. Von weM oder was liebst du mich?

15:53

Bring dich in Sicherheit, die Apokalypse naht ... Wobei, vor der kann man nicht weglaufen, also bleib, wo du bist.

15:59

Aber wenn's wirklich die Apokalypse wäre, würde ich von dir erwarten, dass du dich heldenhaft zur mir durchkämpfst und in den Rettungsbunker bringst!

16:04

Ja, in meinen Träumen wäre ich gern dieser Mann. Aber ich fürchte, ich gehör eher zu der Kategorie, die unter lauten «Wir werden alle sterben»-Rufen in einen Mülleimer springt ... Sorry.

15:56

Bruderherz. Dieses Wochenende schaff ich's nicht zu dir nach Augsburg, aber nächstes oder übernächstes bestimmt. Schönen Tag noch und bis bald!

16:22

Junge, ich wohn in Regensburg!

15:57

Shit! Meine Mutter weiß, dass hier 'ne Hausparty gestiegen ist ...

16:02

Wie denn das?

16:05

Der Tanga in der Besteckschublade wurde uns zum Verhängnis.

16:00

Ich sitz hier gemütlich im Park, trink mein Feierabendbier, lese, die Dose steht neben mir auf der Bank und AUF EINMAL KACKT MIR SO N VERDAMMTER VOGEL INS BIER! Ich hasse die Natur :(

16:00

Uuuuh, habe meinen Bachelor. Jetzt bin ich Akademikerin!

16:03

Dann kannst du dich ja jetzt endlich bei Elite-Partner anmelden.

16:02

Mein Jurastudium. Examen nicht bestanden. Bereite Vater vor.

17:48

Vater vorbereitet. Bereite dich vor.

16:03

Ab heute heißt es «Unterleibsinteressengemeinschaft» ... «Fickbeziehung» hört sich kacke an.

16:03

1,7 im Matheabi!

16:05

Glückwunsch :) Seit wann so gute Noten?

16:10

Wieso Noten? Promille!

16:03

Kannst du mir die Nummer von S. geben? Ich muss das Gleichgewicht zwischen Gut und Böse in meinem Telefonbuch wiederherstellen.

16:03

Hey! Es ist echt schön, wenn man nach Hause kommt und ein riesiger Kuchen auf dem Schreibtisch steht, aber womit hab ich den denn verdient? Und was genau sollen die Ohropax daneben?

16:10

Kuchen: Du bist der beste Mitbewohner der Welt! Ohropax: Mein Exfreund kommt für ein paar Tage zu Besuch :)

16:12

Ich wusste es. Nächstes Mal hätte ich gerne eine dreistöckige Torte und eine Schallschutzwand!

16:06

Soll ich nachher noch vorbeikommen? Poativ oder negativ?

16:08

Poativ. Deoativ poativ.

16:08

Oh Mann! S. hat mir grad gesagt, dass er auf mich steht. Was soll ich denn jetzt machen?! Ich meine, hallo? Es ist S., der Freak!

16:10

Sag ihm, dass du Geheimagentin für Greenpeace bist und deshalb auf keinen Fall mit ihm zusammen gesehen werden kannst, weil er Atomkraft unterstützt. Das wäre die beste Lösung!

16:08

Habe gerade 12 neue Kondome gekauft, und er ist 3 Tage da. Das heißt, wir können 4 Mal am Tag vögeln! Wuhu!

16:23

Ich kann absolut nicht verstehen, dass du im Mathe-Abi eine 5 hattest ;)

16:09

Das letzte Date war schon wieder ein Reinfall :-(Irgendwie hab ich nie Glück mit den Mädchen!

16:13

Ich hab dir ja auch schon in der 2. Klasse gesagt, dass du schwul bist <3

16:09

Ich werde nie wieder mit einer alten Jogginghose Paderborner kaufen und mit einem Pfandbon bezahlen ... Und den Kasten hab ich auch noch mit dem Bollerwagen transportiert. Du glaubst gar nicht, wie die Leute geschaut haben!

16:14

Tja, zwischen einem Studenten und einem Obdachlosen ist halt oft kein großer Unterschied ;)

16:09

Mama, wann biste zu Hause? Wollt meinen 18. noch planen. Soll ich zu Hause feiern oder irgendwas mieten?

16:14

Also, ich glaube, am einfachsten wäre es, nach Erfahrung deiner letzten Geburtstage, gleich auf der Intensivstation zu feiern.

16:11

Wie heißt die Haltestelle?

16:12

Bei uns? Bielefelder Straße. Soll ich dich abholen?

16:13

Brauchst du nicht, ich kenne die Haltestelle ja, wusste nur nicht, wie sie heißt. Wobei ich bei dem Namen jetzt ihre Existenz anzweifle :D

16:18

Wir schenken Mario 'n Gutschein, also 10 € mitbringen.

16:20

Wenn ich das noch einmal höre, schreib ich 'n Lied darüber!

16:22

Wir schenken Mario 'n Gutschein, also 10 € mitbringen.

16:20

Liebe Eltern. Ihr habt mich gezeugt, ausgetragen, zur Welt gebracht und aufgezogen. Ich möchte, dass ihr an die Elternliebe denkt, die ihr gefühlt habt, als ihr mich das erste Mal gesehen habt, wenn ihr heimkommt und meine Haare seht. Und denkt daran, ihr habt mich nicht 16 Jahre ertragen, um mich dann zu töten.

16:21

Außerdem, seht es positiv: Wir sparen uns in Zukunft die Antidepressiva. Denn jedes Mal, wenn ich an einem Spiegel vorbeilaufe, lach ich mich selbst aus. Grüße, in Hoffnung auf Gnade, eure Tochter.

16:20

Sorry Hase, bin zu spät!

16:21

Nicht mal die Mühe, um sich 'ne anständige Ausrede einfallen zu lassen ... tztztz.

16:25

War auf dem Weg zu dir, aber eine Schafsherde hat meinen Weg gekreuzt. Bin dann beim Zählen eingeschlafen ...

16:22

Aber ich dachte, du und S. kommt eigentlich ganz gut aus?! Kannst du den echt nicht leiden?

17:01

Alter, ich bin nicht mal bei Facebook mit dem befreundet!

17:10

Wooooow, du musst ihn wirklich hassen ...

16:23

Sitze in der Bahn zwei knallharten Bauarbeitern gegenüber, die darüber reden, welche Weiber sie in den letzten Tagen so geknallt haben. Steigt der eine aus, sie verabschieden sich, und da holt der andere ein Buch aus seiner Tasche: «Elfenlicht Band 3»! Hahaha, ich konnte nicht mehr :D

16:28–18:59

Wenn du dich nicht erinnern kannst, ist es nie passiert

16:28

Jetzt wird's gruselig. Meine Mutter und ich fanden grad den gleichen Kerl süß ... O.o

16:28

Alter, wenn dir das nächste Mal eine Fee erscheint, solltest du dir ein paar männliche Attribute wünschen!

16:31

Scheiße, geht's dir gut?!

16:45

Ey nee, wurde gerade von einem Bus gerammt! Fahrrad ist Schrott. Wieso fragst du überhaupt?

16:49

Ich saß in dem Bus!

16:32

So, das erste Bier ist offen.

16:34

So, das erste Bier ist leer!

16:33

Morgeeeeen. Ey, krass, hab bis jetzt geschlafen. Ist mir lang nicht mehr passiert, dass ich so lang gepennt hab :)

16:50

Glückwunsch. Ist mir lange nicht mehr passiert, dass mich jemand so versetzt hat. Und tschüs!

16:33

Hiermit erkläre ich offiziell, dass ich wegen Sprengung der Peinlichkeitsskala nie wieder Alkohol konsumiere. Fuck, ich glaub's nicht, und so wie ich mich kenne, kann ich mich nicht einmal an alles erinnern.

16:41

Mein Motto: Wenn du dich nicht erinnern kannst, ist es nie passiert!

16:34

Oh Mann, mir ist so langweilig, dass ich gleich rausgehe und die Bauarbeiter vor unserem Haus frage, ob ich ihnen was helfen kann.

16:34

Ok, wenn du nicht aufgeben willst ... Treffen wir uns doch am 32. Oktember so gegen 25:00 h im Schlecker. Das ist übrigens ein Donnerwoch.

16:44

Sag mal, der kleine Blonde, mit dem du vorletzte Woche auf der Party rumgezüngelt hast und dann nach Hause bist, sitzt hier im Extrablatt alleine. War das längerfristig von dir geplant oder nur so? Fand den süß, und wenn du keine weiteren Besitzansprüche hast, würde ich mir die Zweitverwertungsrechte nehmen :)

16:49

Nur zu. Bring mir meine Ohrringe mit.

16:44

Hallo. Hab dieses Handy grad bei eBay geschossen und alle SMS und Kontakte sind noch drin. Du stehst übrigens als «goil im Bett» drin. Eure Nachrichten waren wirklich erotisch. Die Vorbesitzerin hatte aber zeitgleich noch 'nen Typen. Aber keine Angst, sein Name war «Furzer». Dich mochte sie wohl mehr.

17:32

Was? Das kann nur das Handy von L. gewesen sein. Danke fürs Bescheidsagen, der werd ich was erzählen.

17:34

Weil die Verkäuferin aus Hannover kommt, hab ich gedacht, du vielleicht auch? Deine SMS haben mich scharf gemacht, und ich bin einsam. Wenn du grad solo bist, könntest du vielleicht vorbeikommen? Bin neu in Hannover.

16:45

Ich kann nicht mit euch an den See kommen, meine ganzen Wangen sind angeschwollen. Habe schließlich 4 Weisheitszähne gezogen bekommen, schon vergessen!?

16:52

Mach dir keine Sorgen, Süße, wenn jemand fragt, was du hast, oder komisch guckt, sagen wir einfach, du sammelst Nüsse für den Winter, und gut ist :)

16:47

Du bist meine Prinzessin, ich freu mich! Auf dann :*

16:49

Keine Prinzessin.

16:51

Dann mein Bergtroll :*

16:47

Du machst per SMS mit mir Schluss?!

17:11

Das ist WhatsApp und technologisch gar nicht zu vergleichen.

16:47

:D Das ist vernünftig.

16:48

Wow, das Wort hab ich noch nie geschrieben.

16:54

Waaaaaaaaaahhhhh ... Ich glaub, ich hab Scheiße gebaut ... Aber irgendwie auch nicht, weil ich bereu es nicht ... Aber irgendwie schon, weil man muss ja die Umstände sehen ... Aber ja, aber nein, aber ja ... Waaaaahh!

16:56

Ich hab gehört, du hast dir den Daumen abgesägt? Wie geht's dir? Alles wieder in Ordnung, oder? Mann, was machst du für Sachen?!

17:09

Alles wieder gut, drangenäht. Chef meckert: «Ich lass nie wieder einen Azubi an die Säge», hat mich aber ins Krankenhaus gefahren. Hammer: Es hat gar nicht weh getan (Schock), und als ich mit ihm im Auto saß, mit dem Daumen auf Eis in der Tüte, hab ich immer nur gedacht: «Ich kann nie wieder wichsen. Nie mehr, nie mehr!»

17:01

Stehen im Stau am Pragsattel, kommen später.

17:03

Paps, hast du gerade wahrhaftig eine SMS geschrieben? Premiere, olé! Ich stell schon mal den Sekt kalt :D

17:04

Schatzi, ich war's, Mama.

17:03

Wehe, ich bekomme als Ersatz dafür, dass ich dich nachher zu dieser diabolischen Uhrzeit von der Arbeit abhole, kein vernünftiges, gut gekochtes Ham Ham von dir! :-*

17:09

... *nackt auf meinen Brüsten serviert?*

17:10

Deal! Scheißegal, was du kochst!

17:04

Ist das eigentlich Kannibalismus, wenn man Blumen mit Saft gießt?

17:05

Uiiiiiii … es ist aufgeräumt! Hatte meinen One-Night-Stand von letzter Nacht schlafen lassen und den Schlüssel hingelegt und bin zur Uni, und jetzt komm ich heim, und das Bett ist gemacht, Küche gewischt, Weinflaschen weg, Stube gesaugt und sogar 5 Tage Abwasch fertig. Und Spaß gemacht hatte es auch noch. Bin zufrieden mit meiner Wahl.

17:11

Wow, klingt supi. Genau das, was du wohl brauchst. Also die musst du sofort heiraten. Oder vorbeischicken ;)

17:09

Wenn ihr noch mal zusammenkommt, darf ich dir 'nen Schnurrbart mit Edding malen :D

17:12

Warst du schon mal so müde, dass du deine Tasse nicht in den Geschirrspüler gestellt hast, sondern in den Backofen?

17:12

Ich hab soo Bauchschmerzen. Ich spüre regelrecht, wie die Wirkstoffe der Pille gegen E.'s Spermien kämpfen. Die führen Krieg!

17:13

Mein Exfreund besitzt die Dreistigkeit, mich zu fragen, wo er in Hamburg mit seiner neuen Freundin was trinken gehen kann :-(

17:30

Schreib dem Pfosten bloß nicht zurück!

17:33

Nein, das wäre langweilig. Ich habe ihm einen super Tipp gegeben. Mal schauen, wie lange er braucht, bis er kapiert, dass er seine Perle in eine Schwulen-Bar ausgeführt hat :-D

17:13

Stell dir vor, ich liege neben dir und kraule deinen Nacken, gehe unter dein T-Shirt, ziehe es aus. Jetzt wandert meine Hand Richtung Bauchnabel und immer, immer tiefer ... Und, kannste dich jetzt noch auf Physik konzentrieren?

17:14

Ich dachte, ich könnte nie wieder lachen. Aber dann sah ich seine neue Freundin.

17:15

Jetzt reicht's. Alle Tempos sind verrotzt, alle Kissen vollgesabbert und alle möglichen Träume geträumt. Heute frage ich A., ob er mit mir ausgeht!

17:15

Ich hab 'ne geile Wohnung gefunden! 48 qm, 2 Zimmer, 270 € warm :)

17:18

Hat die ein Bad?

17:30

Nein. Die hat einen Brunnen im Keller. Aus dem kann man Wasser schöpfen. Für 50 ct kann man sich vom Vermieter ein Stückchen Seife leihen.

17:16

Alter, H. schminkt sich seit einer halben Stunde im dm. Ich komm mir so assi vor.

17:27

Sind grad aus dm geflogen.

17:17

Ich will, dass du meinen Penis hart machst, nicht mein Leben!

17:19

Viel Spaß beim Skaten und brecht dir nicht die Arme.

17:21

Brechten? Nee, aber ich muss schillern und hier ist kein Klo ... ach du meine Goethe :)

17:22

Mach dich nackig, ich bin jeden Moment daheim!

17:23

Du weißt, dass dein Leben so nicht funktioniert.

17:22

Haben heute in der Uni gelernt, dass mangelnde sexuelle Befriedigung gesundheitsschädigend sein kann! Weißt du, was das heißt??

17:35

Dass wir zum Arzt gehen und uns einen Mann verschreiben lassen können?! Phänomenal!

17:23

Ich sitze gerade mit meinem 5-jährigen Cousin in meinem Zimmer, ich trinke Scotch, er trinkt Apfelsaft, und wir hören Depressive Black Metal. Aus dem wird mal was!

17:27

Okay, er hat sich in die Hose gemacht, die Stimmung ist zerstört.

17:23

Ich hab gerade so viele Pfandflaschen in meinem Einkaufswagen gehabt, dass mir ein paar Penner neidisch hinterhergeschaut haben und einer sogar gerufen hat: «Das sind ja mal gesammelte Werke!»

17:23

Grad meinen Golf bei ebay Kleinanzeigen reingestellt. Rufen mich welche an und wollen mir Kamele dafür geben.

17:24

Nimm die Kamele! Wir wären die Coolsten hier in der Stadt :D

17:24

Ich fühl mich so Freitag, dabei ist erst Mittwoch :(

17:27

Süße, es ist Dienstag!

17:29

Das reicht nicht, du musst sie alle vernichten!

17:35

Ich bin nur ein harmloses Mädchen, was soll ich tun? Sie mit dem Parfüm der Vergeltung in die Flucht schlagen? Mit dem Rougepinsel des Todes auskitzeln?

17:31

War gestern eigentlich Vollmond oder Neumond oder so? Ich hab ja gern rationale Erklärungen für schlimme Abende.

17:34

Reicht dir «Bier», «Sekt» und «Schnaps» nicht?

17:35

Scheiße, Sekt! Jetzt, wo du's sagst.

17:31

Heut Abend Club? Ich hab ’n neues Outfit! Kommt Gewürzi auch mit?

17:46

Gewürzi? O.o

17:51

Eselsbrücke, Mann! Ingmar = Ingwer = Gewürz. Oder wie kannst du dir seinen Namen merken?!

17:32

A. hat mir grade geschrieben, ob wir heute Abend was machen wollen. Ich glaube, der steht auf mich.

17:34

Mir hat der auch geschrieben, der ist nur notgeil.

17:32

warum muss ich mich als dickbrüstiges, blondes geschöpf gottes um eine mitfahrgelegenheit kümmern?

17:34

weil du neben deinen dicken specktitten auch noch ’nen pimmel hast, du fettsack!

17:32

Hast du Zeit?

17:38

Was ist kaputt? Dein Mädel oder deine Karre?

17:32

Ich bin über's Wochenende weg. Hab 50 € in deinem Zimmer versteckt. Räum auf, dann findest du sie.

17:32

Ich muss mega aufs Klo! Und wir fahren noch 3 Stunden :(

17:33

Dann darfst du auf keinen Fall an REGEN und WASSERFALL und KLOSPÜLUNGEN denken.

17:32

Vorsätze fürs neue Jahr: Nur Dinge, die ich auch halten kann ... mehr feiern, mehr trinken, mehr rauchen!

17:32

Haha, wenn du nachher duschen gehst, musst du unbedingt den «E.T.»-Soundtrack dazu hören, das ist der Hammer!

19:02

Du hattest ja so was von recht! Von nun an dusch ich nur noch mit der Musik. Ich hatte das Gefühl, ich herrsche nackt und nass über das ganze Universum, und wenn ich den Duschvorhang aufmache, stehen da 1000 Leute und jubeln mir zu. Danke, dass du mein Leben bereichert hast.

17:33

Feierabend, Wochenende, endlich daheim. Inklusive griechischem Nudelauflauf. Projekt Weltrekord kann starten. Schon am Montag werden die Leute mit Bewunderung sagen: «Noch nie hat jemand so lange regungslos auf der Couch gelegen, ohne tot zu sein.»

17:34

Hilfe, ich seh aus wie Karl Dall – nur am Mund statt am Auge!

17:34

frag einfach dein herz!

17:35

das singt dauernd die melodie von tetris.

17:36

Und? Seid ihr jetzt Happy in Love <3?

17:45

Sie sagte, wir seien wie zwei ineinander vermischte Haufen Salz & Pfeffer. Nahezu unmöglich zu trennen, aber ohne jegliche Reaktion aufeinander. Friendzone: Maximum :-(

17:39

Ey, weißt du noch, als du gesagt hast, wenn wir beide Single wären, könnten wir die Welt regieren? Es ist soweit, Pinky!

17:39

Hey Schatz, ich lad dich am Freitagmorgen zum Frühstücken ein. So gegen halb 10, ok?

17:48

Hä? War das wirklich an mich oder hast du eine Affäre?

17:56

Ich habe natürlich eine Affäre, aber das war wirklich an dich gerichtet :D

17:45

Ich bin so heiß, da brauchen wir keinen Grill ;-)

18:13

Jo is klar. Und ich so cool, dass du warmes Bier mitbringen kannst.

17:47

Ich wurde auf Arbeit gedisst! Sagt mein Kollege: «Es wird Herbst, die Blätter sind schon golden.» Ich sag: «Ich hätte lieber Blattgold.» Dann hab ich gelacht, sonst keiner. Mein Chef guckt mich an und sagt: «Haben Sie ein Glück, dass Humor im Vorstellungsgespräch kein Thema war.» Darüber haben dann alle gelacht.

17:50

Gott war das schlecht ... Noch schlechter als die Phase, in der du über das Wort «Bims» ständig lachen musstest.

17:51

Hahaha, Bims, hahaha!

17:49

Irgendwie ist mir klar geworden, wie schnell so'n Leben doch vorbei sein kann, und ich wollte dir nur mal sagen, dass du mir viel bedeutest.

17:54

Lernst du schon wieder Latein oder was?

17:53

Ich habe betrogen. Ich habe mir unreduzierte Ohrringe reduziert, mit einem Reduziertaufkleber von anderen reduzierten Ohrringen!

17:58

Mein Po genehmigt sich gerade mit Wonne ein köstliches Stück Hose :D

18:00

Brauch mal grad 'ne Rezeptidee ... Laktosefrei und vegetarisch. Go!

18:04

Spätzle? Mit laktosefreier Milch? Chili ohne Carne?

00:13

Hat sich erledigt ... haben einfach gevögelt :D

18:00

Hab gerade meine Finger gezählt ... Kam auf 8 ... Und hab mir gedacht, puuh, haste ja noch alle ... Die Festivals bringen mich noch um den Verstand ... Weiter geht's.

18:01

Id nimm die alte Siamkatze und Leg se in dein neues Handy und Kopier alle Kontakte

18:04

Hey Mum, ich brauche dringend Geld.

18:09

Verkauf doch eine Niere!

18:05

Durchschnittlich 20 SMS an einem Abend. Alter, erinner mich dran, dass ich mir das nächste Mal 'ne Freundin ohne SMS-Flat such!

18:09

Na, dann such mal schön. Arschloch!

18:08

Diagnose: Der Anlasser spinnt, Maßnahme: 2. Gang rein, starke Männer zum Anschieben suchen. Das perfekte Aufreiß-Auto, wenn du ihn mal leihen willst ;)

18:15

Ich schreibe jetzt mit N., M., G., L., F. und P., also wenn da nicht mindestens ein Date bei rumkommt, dann kannst du mich offiziell als nicht vermittelbar betrachten.

18:18

Soll ich gleich abstempeln?

18:16

Frohes Neues! Der Preis für den Mitarbeiter des Monats geht an ... *Trommelwirbel* ... Die Leber!

18:18

Ha, bei mir kann man jetzt vom Boden essen!

18:21

Hmm, bei uns findet man da auch immer was ...

18:22

Buhu, ich hab voll den Sonnenbrand. Meine Arme sind oben knallrot und unten weiß. Ich seh aus wie Polen.

18:22

Es ist aus!

18:32

Wann hat es angefangen?!

18:23

Schwesterherz, wo bleibste denn? Freu mich voll, dich endlich mal wiederzusehen. Kaffee ist schon fertig :) Wennst keinen Parkplatz findest, musst du noch um den Pudding fahren, Parkplätze sind hier immer ein wenig stressig in der Innenstadt.

18:34

Ich hab schon Leute gefragt, aber keiner kennt den Pudding. Ist das irgendein Wahrzeichen? Google Maps kennt das auch nicht.

18:25

Gerade 'ne Frau mit Büchsenbier und Strohhalm gesehen ... wirkte irgendwie stilvoll.

18:26

Da kommste nach Hause und das Erste, was du siehst, ist dein Mitbewohner, der mit deinem Duttschwamm das Waschbecken schrubbt.

18:26

Rote Unterwäsche: check!

18:41

Keine Unterwäsche: check!

18:28

Ich kann nicht mit auf das Konzert kommen! :(

18:29

Waaaaas? Warum? Ich bin schon da.

18:30

Ich war auch schon auf dem Weg, aber in der U-Bahn hab ich eine wundervolle Frau getroffen und gab ihr meine Handynummer! Ich Vollpfosten schrieb die vor Aufregung auf die Konzertkarte ... Sie nahm sie entgegen, grinste und stieg dann aus ...

18:31

Ich mache Bowle. Aber ich garantiere für nichts!

18:33

Super! Aber mach den Eimer noch mal richtig sauber, da hab ich letzte Woche reingekotzt.

18:38

Nudeln angebrannt?! Wie hast du das denn geschafft?! Und was machst du jetzt?

18:42

Keine Ahnung. Sitze jetzt mit High Heels und quasi nackt in der Küche und hoffe, dass er gar nicht nach dem Essen fragt.

18:42

Ich bin grad durch den Bahnhof und wollte an einer vorbei, hab sie halt so zur Seite geschoben und «Entschuldigung» gesagt. Was macht sie? Dreht sich um und sagt so ganz tief: «Nein, ich entschuldige nicht!» Dann lacht sie, meint, dass sie das schon immer mal machen wollte, und geht zur Seite. Ey, die war heiß!

19:18

Sag bitte, dass du sie wenigstens nach ihrem Namen gefragt hast.

19:40

Ja. Sie heißt S., ist Single, tätowiert, Piercing. Wenn man mit ihr redet, irgendwie süß ... und lesbisch. Und ich darf nicht zuschauen.

18:43

Ich bin halt eine Kämpfernatur ... Einzelkind ... und Prinzessin!

18:45

Jaja, Pimmelfee trifft's eher!

18:47

Aus welchem Bauchnabel würdest du lieber Alkohol trinken? Aus meinem oder Lanas?

18:55

Boah, schwerste Entscheidung ever!

18:49

Ich hab meine Klopapier-Zwangsneurose überwunden!!!

18:55

Will mich grad rasieren. Mach den Rasierer nass und fang an. Hab 2 min gebraucht, bis ich gemerkt hab, dass der Plastikschutz noch drauf ist. Bin urlaubsreif!

18:59

Hey, die Tabletten, die du mir mitgegeben hast, sind ja ungenießbar.

19:02

Alter … das waren Zäpfchen.